W9-CEK-510

Somos así

EN SUS MARCAS

Second Edition

Audiocassette/Audio CD Program Manual

EMC/Paradigm Publishing, Saint Paul, Minnesota

Introduction

This manual contains the transcript for the *Somos así* EN SUS MARCAS Audiocassette/Audio CD Program. The program provides numerous activities that allow students to hear a variety of native speakers' voices. The recorded exercises in this manual correspond to the material that is denoted in the *Somos así* EN SUS MARCAS Annotated Teacher's Edition by an audiocassette/compact disc icon. Some activities have been altered slightly, where necessary, in order to adapt them for oral work.

Additional listening comprehension activities can be found in the *Somos así* EN SUS MARCAS Teacher's Resource Kit.

ISBN 0-8219-1892-3

Published by EMC/Paradigm Publishing
875 Montreal Way
St. Paul, Minnesota 55102

800-328-1452
www.emcp.com
E-mail: educate@emcp.com

Printed in the United States of America
 2 3 4 5 6 7 8 9 10 X X X 05 04 03 02 01 00

Contents

Audiocassette/Audio CD Program Manager

Content	Textbook Page	Audiocassette Number	Side	Audio CD Number	Track	Time
Capítulo 1	1	1	A	1		
Lección 1	2	1	A	1		**12:51**
¡Mucho gusto!	6	1	A	1	1	1:09
El alfabeto	8	1	A	1	2	1:03
¿Cómo se escribe?	8	1	A	1	3	1:23
Estrategia—Para aprender mejor: classroom expressions	8	1	A	1	4	1:44
¿De dónde eres?	10	1	A	1	5	:52
Activity 14	10	1	A	1	6	1:42
Los números del 0 al 20	12	1	A	1	7	:58
Algo más: Los cognados	12	1	A	1	8	:25
Activity 18	13	1	A	1	9	1:23
Activity 19	13	1	A	1	10	1:15
¿Cuántos años tienes?	15	1	A	1	11	:34
La despedida	15	1	A	1	12	:23
Lección 2	18	1	B	1		**12:03**
Saludos	18	1	B	1	13	:48
Buenos días	20	1	B	1	14	:38
Buenas tardes	22	1	B	1	15	1:04
Activity 7	23	1	B	1	16	2:05
Despedidas	24	1	B	1	17	:33
Los números del 21 al 100	25	1	B	1	18	1:09
¿Qué hora es?	26	1	B	1	19	1:04
Acitivity 14	27	1	B	1	20	2:58
Algo más: Expresiones de cortesía	27	1	B	1	21	:38
A leer	32	1	B	1		
Libros nuevos	32	1	B	1	22	1:06

CAPÍTULO 1
¡Mucho gusto!

LECCIÓN 1

¡Mucho gusto!

Escucha. *(Listen.)*

HÉCTOR: ¡Hola!
PAULA: ¡Hola! Cómo te llamas?
HÉCTOR: Me llamo Héctor. Y tú?
PAULA: Yo me llamo Paula.
HÉCTOR: ¡Mucho gusto, Paula!
PAULA: ¡Mucho gusto, Héctor!

Repite. *(Repeat.)*

HÉCTOR: ¡Hola! /
PAULA: ¡Hola! / Cómo te llamas? /
HÉCTOR: Me llamo Héctor. / Y tú? /
PAULA: Yo me llamo Paula. /
HÉCTOR: ¡Mucho gusto, Paula! /
PAULA: ¡Mucho gusto, Héctor! /

el alfabeto

Escucha y repite.

a / b / c / d / e / f / g / h / i / j / k / l / m / n / ñ / o / p / q / r / rr / s / t / u / v / w / x / y / z /

¿Cómo se escribe?

Escucha.

PAULA: ¿Cómo se escribe Héctor? ¿Con hache?
HÉCTOR: Sí, con hache. Se escribe con hache mayúscula, e con acento, ce, te, o, ere.

Repite.

PAULA: ¿Cómo se escribe Héctor? / Con hache? /
HÉCTOR: Sí, con hache. / Se escribe con / hache mayúscula, / e con acento, / ce, te, o, ere. /

Estrategia

Para aprender mejor: *classroom expressions*

Escucha y repite.

Abre el libro. / Abran el libro. / Cierra el libro. / Cierren el libro. / Escribe. / Escriban. / Escucha. / Escuchen. / Habla en español. / Hablen en español. / Lee. / Lean. / Levanta la mano. / Levanten la mano. / Mira. / Miren. / Pasa a la pizarra. / Pasen a la pizarra. / Saca una hoja de papel. / Saquen una hoja de papel. / Señala el mapa. / Señalen el mapa. / Siéntate. / Siéntense. / Silencio, por favor. / ¿Cómo se dice en español? / ¿Qué quiere decir? / No sé. / No comprendo. / Tengo una pregunta. /

¿De dónde eres?

Escucha.

PAULA: ¿De dónde eres, Héctor?
HÉCTOR: Soy de Buenos Aires, Argentina. ¿Y tú? ¿Eres tú de aquí?
PAULA: No. Yo soy de Estados Unidos.

Repite.

PAULA: ¿De dónde eres, Héctor? /
HÉCTOR: Soy de Buenos Aires, / Argentina. / ¿Y tú? / ¿Eres tú de aquí? /
PAULA: No. / Yo soy / de Estados Unidos. /

14. *Pronunciación.* Now that you know how to say the letters of the alphabet in Spanish, practice reading aloud the following names of Spanish-speaking countries of the world.

   1. Argentina
   2. Bolivia
   3. Colombia
   4. Costa Rica
   5. Cuba
   6. Chile
   7. Ecuador
   8. El Salvador
   9. España
   10. Guatemala
   11. Honduras
   12. México
   13. Nicaragua
   14. Panamá
   15. Paraguay
   16. Perú
   17. República Dominicana
   18. Uruguay
   19. Venezuela

Los números del 0 al 20

Escucha y repite.

cero / uno / dos / tres / cuatro / cinco / seis / siete / ocho / nueve / diez / once / doce / trece / catorce / quince / dieciséis / diecisiete / dieciocho / diecinueve / veinte /

Algo más

Los cognados

Escucha y repite.

acento / diálogo / persona / televisión / teléfono / vocabulario /

18. *Práctica de pronunciación.* Listen to the cognates that follow. Then practice saying each, remembering what you have learned about Spanish pronunciation. Try to guess the meanings of the words as you say them.

    1. cero
    2. formal
    3. favorito
    4. el animal
    5. la persona
    6. el teléfono
    7. el vocabulario
    8. la televisión
    9. el diálogo
    10. la capital
    11. el restaurante
    12. la biología
    13. la posibilidad
    14. estudiar
    15. comprender

19. *De dos en dos.* Start with *cero* and count by twos to *veinte.* Begin now.

    cero / dos / cuatro / seis / ocho / diez / doce / catorce / dieciséis / dieciocho / veinte /

    Now start again, beginning with *uno,* and count by twos to *diecinueve.*

    uno / tres / cinco / siete / nueve / once / trece / quince / diecisiete / diecinueve /

¿Cuántos años tienes?

Escucha.

PAULA: ¿Cuántos años tienes, Héctor?
HÉCTOR: Tengo quince años. ¿Y tú?
PAULA: Yo tengo dieciséis años.

Repite.

PAULA: ¿Cuántos años tienes, Héctor? /
HÉCTOR: Tengo quince años. / ¿Y tú? /
PAULA: Yo tengo dieciséis años. /

La despedida

Escucha.

HÉCTOR: Hasta luego, Paula.
PAULA: Adiós, Héctor.

Repite.

HÉCTOR: Hasta luego, Paula. /
PAULA: Adiós, Héctor. /

Este es el fin de la Lección 1.

Lección 2

Saludos

Escucha.

MÓNICA: ¡Hola, Rafael! ¿Cómo estás?
RAFAEL: Mal, muy mal. ¿Y tú?
MÓNICA: Yo estoy muy bien, gracias.

Repite.

MÓNICA: ¡Hola, Rafael! / ¿Cómo estás? /
RAFAEL: Mal, muy mal. / ¿Y tú? /
MÓNICA: Yo estoy muy bien, / gracias. /

Buenos días

Escucha.

SRA. CASAS: Buenos días, señorita.
SRTA. PÉREZ: Señora Casas, ¿cómo está usted?
SRA. CASAS: Estoy regular.

Repite.

SRA. CASAS: Buenos días, señorita. /
SRTA. PÉREZ: Señora Casas, / ¿cómo está usted? /
SRA. CASAS: Estoy regular. /

Buenas tardes

Escucha.

SR. MARTÍNEZ:	Buenas tardes.
RAFAEL:	Buenas tardes, señor Martínez.
SR. MARTÍNEZ:	¿Cómo están Uds.?
MÓNICA:	Bien, gracias.
RAFAEL:	Sí, muy bien, gracias, señor Martínez.

Repite.

SR. MARTÍNEZ:	Buenas tardes. /
RAFAEL:	Buenas tardes, / señor Martínez. /
SR. MARTÍNEZ:	¿Cómo están Uds.? /
MÓNICA:	Bien, gracias. /
RAFAEL:	Sí, muy bien, gracias, / señor Martínez. /

7. *¿Cómo están?* Use the expressions you have learned to greet the following people in Spanish and ask how they are feeling.

> Modelos: Laura / hola / cómo estás
> ¡Hola, Laura! ¿Cómo estás?
>
> Sr. García / buenas tardes / cómo está Ud.
> Buenas tardes, señor García. ¿Cómo está Ud.?

1. Sra. Montoya / buenas tardes / cómo está Ud.   Buenas tardes, señora Montoya. Cómo está Ud.?
2. Carmen / hola / qué tal   ¡Hola, Carmen! ¿Qué tal?
3. Juana y Marcos / hola / cómo están Uds.   ¡Hola, Juana y Marcos! ¿Cómo están Uds.?
4. Sr. Reyes / buenos días / cómo está Ud.   Buenos días, señor Reyes. ¿Cómo está Ud.?

Despedidas

Escucha.

EL SEÑOR:	Buenas noches, señorita.
LA SEÑORITA:	Hasta mañana.

Repite.

EL SEÑOR:	Buenas noches, / señorita. /
LA SEÑORITA:	Hasta mañana. /

Los números del 21 al 100

Escucha y repite.

veintiuno / veintidós / veintitrés / veinticuatro / veinticinco / veintiséis / veintisiete / veintiocho / veintinueve / treinta / treinta y uno / treinta y dos / cuarenta / cincuenta / sesenta / setenta / ochenta / noventa / cien /

¿Qué hora es?

Escucha y repite.

Es la una. / Son las dos. / Son las seis. / Es la una y media. / Son las cuatro y media. / Son las ocho y media. / Son las cinco y cuarto. / Son las nueve menos cuarto. / Son las tres y diez. / Son las cuatro menos diez. / Son las siete y veinte. / Es la una menos veinte. / Es mediodía. / Es medianoche. /

14. *La hora.* State the indicated time using complete sentences.

Modelos: ¿Qué hora es? (la una menos cuarto / la tarde)
Es la una menos cuarto de la tarde.

Sr. García / buenas tardes / cómo está Ud.
Buenas tardes, señor García. ¿Cómo está Ud.?

1. ¿Qué hora es? (las tres y veinte / la mañana) Son las tres y veinte de la mañana.
2. ¿Qué hora es? (la una / la tarde) Es la una de la tarde.
3. ¿Qué hora es? (las cuatro y veinticinco / la tarde) Son las cuatro y veinticinco de la tarde.
4. ¿Qué hora es? (las siete y cuarto / la mañana) Son las siete y cuarto de la mañana.
5. ¿Qué hora es? (las dos y cuarto / la tarde) Son las dos y cuarto de la tarde.
6. ¿Qué hora es? (las ocho y diez / la noche) Son las ocho y diez de la noche.
7. ¿Qué hora es? (las nueve y veintinueve / la mañana. Son las nueve y veintinueve de la
8. ¿Qué hora es? (las doce y media / la tarde) Son las doce y media de la tarde

Algo más

Expresiones de cortesía

Escucha y repite.

por favor / gracias / muchas gracias / de nada / perdón / con permiso / lo siento / con mucho gusto /

Este es el fin de la Lección 2.

A LEER

Escucha.

Libros nuevos

La nación
Televisión para hoy
Las pirámides de México
La biología de los animales
El comercio en California
De visita en Puerto Rico
Los museos de Madrid
Una celebración de la libertad
Guía de teatro
El uso de la computadora
La literatura moderna
Diccionario de matemáticas
La comunidad de los aztecas
Plantas naturales y artificiales
Internet y las comunicaciones

Este es el fin de la sección A leer del Capítulo 1.

CAPÍTULO 2
El colegio

LECCIÓN 3

¿Cómo se llama?

Escucha.

MARIO: ¿Quién es?
DIANA: ¿Ella?
MARIO: No, él. ¿Cómo se llama él?
DIANA: Se llama Lorenzo.
MARIO: ¿De dónde es?
DIANA: Es de Los Ángeles.

Repite.

MARIO: ¿Quién es? /
DIANA: ¿Ella? /
MARIO: No, él. / ¿Cómo se llama él? /
DIANA: Se llama Lorenzo. /
MARIO: ¿De dónde es? /
DIANA: Es de Los Ángeles. /

Los pronombres personales

Escucha y repite.

yo / tú / usted / él / ella / nosotros / nosotras / vosotros / vosotras / ustedes / ellos / ellas /

9. *¿De dónde son?* Indicate where the following people are from, according to the cues.

> Modelo: ¿De dónde es Roberto? (Estados Unidos)
> Es de Estados Unidos.

1.	¿De dónde es Silvia? (México)	Es de México.
2.	¿De dónde es Manuel? (Honduras)	Es de Honduras.
3.	¿De dónde eres tú? (Estados Unidos)	Soy de Estados Unidos.
4.	¿De dónde son Pilar y Luis? (Puerto Rico)	Son de Puerto Rico.
5.	¿De dónde somos Lorenzo, tú y yo? (Estados Unidos)	Somos de Estados Unidos.
6.	¿De dónde es la Srta. García? (Panamá)	Es de Panamá.
7.	¿De dónde soy yo? (Estados Unidos)	Eres de Estados Unidos.
8.	¿De dónde son el Sr. y la Sra. Vargas? (Colombia)	Son de Colombia.

12. *¿De dónde son estas personas famosas?* Imagine you are looking at magazines with pictures and stories about famous people. Say where several of these well-known people are from.

> Modelo: ¿De dónde es Daisy Fuentes? (Cuba)
> Ella es de Cuba.

1.	¿De dónde es Juan Luis Guerra? (la República Dominicana)	Él es de la República Dominicana.
2.	¿De dónde son Antonio Banderas y Plácido Domingo? (España)	Ellos son de España.
3.	¿De dónde es Salma Hayek? (México)	Ella es de México.
4.	¿De dónde son Rosie Pérez y Jimmy Smits? (Estados Unidos)	Ellos son de Estados Unidos.
5.	¿De dónde es Isabel Allende? (Chile)	Ella es de Chile.
6.	¿De dónde son Edgar Rentería y Gabriel García Márquez? (Colombia)	Ellos son de Colombia.
7.	¿De dónde es Rubén Blades? (Panamá)	Él es de Panamá.
8.	¿De dónde son Gloria Estefan y Celia Cruz? (Cuba)	Ellas son de Cuba.

La estudiante nueva

Escucha y repite.

la pared / la ventana / el mapa / el reloj / la pizarra / la puerta / el borrador / la tiza /
el sacapuntas / la silla / el lápiz / el bolígrafo / el borrador / el escritorio / la mochila / el periódico /
el cesto de papeles / la revista / el cuaderno / la página / el libro / el pupitre / el papel /
el profesor / la profesora / el chico / el estudiante / la chica / la estudiante /

Escucha.

CARLOS: ¿Quién es la chica?
DIANA: Es la estudiante nueva de México.
DAVID: Se llama Silvia y es mi amiga.
CARLOS: Y, ¿quién es el chico con la mochila?
DIANA: Es el estudiante nuevo de Los Ángeles.
DAVID: Se llama Lorenzo y es mi amigo.

Repite.

CARLOS: ¿Quién es la chica? /
DIANA: Es la estudiante nueva / de México. /
DAVID: Se llama Silvia / y es mi amiga. /
CARLOS: Y, ¿quién es el chico / con la mochila? /
DIANA: Es el estudiante nuevo / de Los Ángeles. /
DAVID: Se llama Lorenzo / y es mi amigo. /

14. *Somos amigos.* Imagine you are looking at some photographs of school friends. Tell who the people in the photographs are by giving the person's name and saying he or she is your friend.

> Modelo: ¿Quién es la chica con el borrador y la tiza? (Marta)
>   Se llama Marta y es mi amiga.

1. ¿Quién es el chico con la regla? (Gerardo)   Se llama Gerardo y es mi amigo.
2. ¿Quién es la chica con la mochila? (Graciela)   Se llama Graciela y es mi amiga.
3. ¿Quién es el chico con el bolígrafo? (Julio)   Se llama Julio y es mi amigo.
4. ¿Quién es la chica con el cuaderno? (Andrea)   Se llama Andrea y es mi amiga.
5. ¿Quién es el chico con el papel? (Manuel)   Se llama Manuel y es mi amigo.
6. ¿Quién es la chica con el lápiz? (Sara)   Se llama Sara y es mi amiga.
7. ¿Quién es el chico con la revista? (Víctor)   Se llama Víctor y es mi amigo.
8. ¿Quién es la chica con el profesor? (Yolanda)   Se llama Yolanda y es mi amiga.
9. ¿Quién es el chico con el libro? (Andrés)   Se llama Andrés y es mi amigo.
10. ¿Quién es la chica con el periódico? (Luisa)   Se llama Luisa y es mi amiga.

En la clase

Escucha.

CRISTINA: Perdón, Sr. Cortés, no comprendo una palabra.
SR. CORTÉS: ¿Qué palabra es?
CRISTINA: No sé qué quiere decir la palabra *revista*.
SR. CORTÉS: La palabra revista quiere decir *magazine*.
CRISTINA: Ay, muchas gracias. Y, ¿cómo se dice *newspaper*?
SR. CORTÉS: Se dice *periódico*.

Repite.

CRISTINA:	Perdón, Sr. Cortés, / no comprendo / una palabra. /
SR. CORTÉS:	¿Qué palabra es? /
CRISTINA:	No sé qué quiere decir / la palabra *revista*. /
SR. CORTÉS:	La palabra revista / quiere decir *magazine*. /
CRISTINA:	Ay, muchas gracias. / Y, ¿cómo se dice / *newspaper*? /
SR. CORTÉS:	Se dice *periódico*. /

21. *Practicando el negativo.* Show that you disagree with the following statements by making each sentence negative.

1.	Soy de Colorado.	No soy de Colorado.
2.	La profesora Cabos es de Nueva York.	La profesora Cabos no es de Nueva York.
3.	Ella es de aquí.	Ella no es de aquí.
4.	Es la estudiante nueva.	No es la estudiante nueva.
5.	Se llama Luz.	No se llama Luz.

Este es el fin de la Lección 3.

LECCIÓN 4

El horario

Escucha.

CLAUDIA:	¡Aló! ¿Jorge? Soy Claudia.
JORGE:	¿Perdón? ¿Cómo?
CLAUDIA:	¡Jorge! Soy yo, Claudia.
JORGE:	Hola, Claudia. Tengo tu horario nuevo aquí en la pantalla. ¿En tu colegio, cuántas clases hay en un día? ¿Seis?
CLAUDIA:	No, hay siete. Y el almuerzo es a las doce y veinticinco.
JORGE:	¿A las doce y veinticinco? Aquí es a las dos.
CLAUDIA:	¿A qué hora terminan las clases en tu colegio?
JORGE:	Terminan a las cinco o a las seis de la tarde.

Repite.

CLAUDIA:	¡Aló! / ¿Jorge? / Soy Claudia. /
JORGE:	¿Perdón? / ¿Cómo? /
CLAUDIA:	¡Jorge! / Soy yo, Claudia. /
JORGE:	Hola, Claudia. / Tengo tu horario nuevo / aquí en la pantalla. / ¿En tu colegio, / cuántas clases hay / en un día? / ¿Seis? /
CLAUDIA:	No, hay siete. / Y el almuerzo / es a las doce / y veinticinco. /
JORGE:	¿A las doce / y veinticinco? / Aquí es a las dos. /
CLAUDIA:	¿A qué hora / terminan las clases / en tu colegio? /
JORGE:	Terminan a las cinco / o a las seis de la tarde. /

1. *¿Qué comprendiste?*

    1. ¿A qué hora es el almuerzo de Claudia?   El almuerzo de Claudia es a las doce y veinticinco de la tarde.

    2. ¿A qué hora es el almuerzo de Jorge?   El almuerzo de Jorge es a las dos de la tarde.

    3. ¿A qué hora terminan las clases en el colegio de Jorge?   Terminan a las cinco o a las seis de la tarde.

2. *Charlando. Contesta las siguientes preguntas. Las respuestas no están incluidas.* **Always answer the questions in the Charlando section as they relate to you.**

    1. ¿Cómo se llama tu colegio?
    2. ¿Cuántas clases tienes los lunes?
    3. ¿A qué hora tienes la clase de español?
    4. ¿Tienes una clase de computación?
    5. ¿Hay clase de biología en tu horario?

5. *Contradicciones.* **As your friend makes the following observations, you notice a few mistakes. Correct these descriptions using the indicated words. Remember to make all the nouns and adjectives agree, and to change the verb form when necessary.**

    Modelos: Es un bolígrafo azul. (verde)
    No, es un bolígrafo verde.

    Claudia es la estudiante nueva. (Ana y Marisa)
    No, Ana y Marisa son las estudiantes nuevas.

    1. Hay un cuaderno blanco allí en el escritorio. (una tiza)   No, hay una tiza blanca allí en el escritorio.
    2. Es una pizarra verde. (negro)   No, es una pizarra negra.
    3. Tú tienes el papel amarillo. (las páginas)   No, yo tengo las páginas amarillas.
    4. El chico nuevo se llama María. (la profesora)   No, la profesora nueva se llama María.
    5. El lápiz rojo es de Luisa. (Los borradores)   No, los borradores rojos son de Luisa.
    6. Hay dos ventanas nuevas en la clase. (una revista)   No, hay una revista nueva en la clase.

7. *¿De qué color es...?* **Tell what color these objects are. Use the indicated adjective of color, and make sure every adjective agrees with the noun it is describing.**

    Modelo: ¿De qué color es el papel? (amarillo)
    El papel es amarillo.

    1. ¿De qué color es la mochila? (gris)   La mochila es gris.
    2. ¿De qué color es el libro? (verde)   El libro es verde.
    3. ¿De qué color es la regla? (rojo)   La regla es roja.
    4. ¿De qué color es la silla? (amarillo)   La silla es amarilla.
    5. ¿De qué color es el periódico? (blanco y negro)   El periódico es blanco y negro.
    6. ¿De qué color es el mapa? (verde y azul)   El mapa es verde y azul.

¿Dónde está?

Escucha.

LUIS:	¡Ay! ¿Dónde está mi libro de español?
PILAR:	¿Está en el escritorio? ¿O en el cesto de papeles?
LUIS:	No...no está en mi mochila tampoco. No sé dónde está.
SILVIA:	Hay un libro azul sobre la computadora. ¿Es tu libro?
PILAR:	¡Mira! Allí está.
LUIS:	Muchas gracias, Silvia....Y, ¿dónde están los cuadernos?

Repite.

LUIS:	¡Ay! / ¿Dónde está / mi libro de español? /
PILAR:	¿Está en el escritorio? / ¿O en el cesto de papeles? /
LUIS:	No...no está / en mi mochila tampoco. / No sé dónde está. /
SILVIA:	Hay un libro azul / sobre la computadora. / ¿Es tu libro? /
PILAR:	¡Mira! / Allí está. /
LUIS:	Muchas gracias, Silvia.... / Y, ¿dónde están / los cuadernos? /

15. *¿Qué comprendiste? Contesta las siguientes preguntas.* **Answer the following questions.**

1.	¿Con quién habla Luis?	Luis habla con Pilar y Silvia.
2.	¿Qué necesita Luis?	Luis necesita el libro de español.
3.	¿Está el libro de español sobre el escritorio? ¿En la mochila?	No, no está sobre el escritorio. No, no está en la mochila tampoco.
4.	¿Dónde está el libro de español?	Está sobre la computadora.
5.	¿De qué color es el libro de español?	El libro de español es azul.

16. *Charlando. Contesta las siguientes preguntas. Las respuestas no están incluidas.*

1. ¿Dónde está tu libro de español? ¿De qué color es?
2. ¿Qué libros tienes en tu mochila?
3. ¿Cuántos cuadernos tienes?
4. ¿Hay una computadora en tu clase?
5. ¿Dónde está tu colegio?

18. *Ciudades en EE.UU.* Claudia is sending several e-mail messages to friends and relatives around the United States. Indicate where she and her acquaintances are located according to the cues.

> **Modelo:**   Alicia / San Antonio
> Alicia está en San Antonio.

1.	Miguel / Los Ángeles	Miguel está en Los Ángeles.
2.	mi tía Diana / Miami	Mi tía Diana está en Miami.
3.	Alberto y Felipe / Denver	Alberto y Felipe están en Denver.
4.	Rosa y Teresa / Atlanta	Rosa y Teresa están en Atlanta.
5.	Marité, Cindy y yo / Santa Fe	Nosotras estamos en Santa Fe.

20. *Cruzando fronteras.* Jorge is studying for a geography quiz on the Americas. Help him out by indicating where each of the following Spanish-speaking cities is located.

> **Modelos:** Quito / Ecuador
> Quito está en Ecuador.
>
> Ponce y San Juan / Puerto Rico
> Ponce y San Juan están en Puerto Rico.

1. Guadalajara y Monterrey / México   Guadalajara y Monterrey están en México.
2. Caracas / Venezuela   Caracas está en Venezuela.
3. La Habana / Cuba   La Habana está en Cuba.
4. Santiago / Chile   Santiago está en Chile.
5. Buenos Aires y Rosario / Argentina   Buenos Aires y Rosario están en Argentina.
6. San José / Costa Rica   San José está en Costa Rica.
7. Miami y San Antonio / Estados Unidos   Miami y San Antonio están en Estados Unidos.
8. San Salvador / El Salvador   San Salvador está en El Salvador.
9. La Paz y Sucre / Bolivia   La Paz y Sucre están en Bolivia.

21. *¿Dónde está? Contesta las siguientes preguntas en español.*

> **Modelo:** ¿Dónde está el profesor García? (en la clase)
> Está en la clase.

1. ¿Dónde está el mapa de México? (en la pared)   Está en la pared.
2. ¿Dónde está la revista Teen? (en la mochila)   Está en la mochila.
3. ¿Dónde están las sillas? (en la clase)   Están en la clase.
4. ¿Dónde está el periódico? (en el cesto de papeles)   Está en el cesto de papeles.
5. ¿Dónde están los libros de historia? (sobre la computadora)   Están sobre la computadora.
6. ¿Dónde está el reloj? (en la pared)   Está en la pared.
7. ¿Dónde está Lupe García? (en la clase)   Está en la clase.
8. ¿Dónde están los libros rojos? (en el escritorio)   Están en el escritorio.
9. ¿Dónde está el colegio La Salle? (en Santa Fe)   Está en Santa Fe.
10. ¿Dónde está Acapulco? (en México)   Está en México.

La computadora

Escucha y repite.

la impresora / la impresora láser / la pantalla / los diskettes / los discos compactos / el teclado / el ratón /

25. *¿Cuántos hay?* Take inventory of the classroom items that are in the supply room. Answer the questions according to the information given in Spanish.

Modelos: ¿Cuántos sacapuntas hay? (3)
Hay tres sacapuntas.

¿Cuántas revistas nuevas hay? (25)
Hay veinticinco revistas nuevas.

1. ¿Cuántas computadoras hay? (4)   Hay cuatro computadoras.
2. ¿Cuántos libros de español hay? (62)   Hay sesenta y dos libros de español.
3. ¿Cuántos lápices rojos hay? (35)   Hay treinta y cinco lápices rojos.
4. ¿Cuántos mapas de Estados Unidos hay? (2)   Hay dos mapas de Estados Unidos.
5. ¿Cuántos ratones nuevos hay? (6)   Hay seis ratones nuevos.
6. ¿Cuántas impresoras láser hay? (1)   Hay una impresora láser.
7. ¿Cuántos diskettes hay? (24)   Hay veinticuatro diskettes.
8. ¿Cuántas pizarras verdes hay? (1)   Hay una pizarra verde.
9. ¿Cuántas tizas blancas hay? (90)   Hay noventa tizas blancas.
10. ¿Cuántos cestos de papeles negros hay? (3)   Hay tres cestos de papeles negros.

El número de teléfono

Escucha.

CHICA 1:   ¿Cuál es tu número de teléfono?
CHICA 2:   Es el 5-55-34-68.

Repite.

CHICA 1:   ¿Cuál es tu número / de teléfono? /
CHICA 2:   Es el 5 / 55 / 34 / 68. /

Este es el fin de la Lección 4.

A LEER

Escucha.

Puentes y fronteras (selecciones)
por Gina Valdés

Hay tantísimas fronteras
que dividen a la gente,
pero por cada frontera
existe también un puente.

Entre las dos Californias
quiero construir un puente,
para que cuando tú quieras
te pases del sur al norte,
caminando libremente
no como liebre del monte.

Este es el fin de la sección A leer del Capítulo 2.

CAPÍTULO 3
La ciudad

LECCIÓN 5

En la Ciudad de México

Escucha.

NATALIA: Tomás, te presento a mi amiga, Elisa.
ELISA: Tanto gusto.
TOMÁS: Encantado. ¿Por qué no caminamos al parque de Chapultepec?
NATALIA: ¿Caminamos o tomamos el camión?
TOMÁS: Quiero caminar.
NATALIA: ¡Vamos!

Repite.

NATALIA: Tomás, te presento / a mi amiga, Elisa. /
ELISA: Tanto gusto. /
TOMÁS: Encantado. / ¿Por qué no caminamos / al parque de Chapultepec? /
NATALIA: ¿Caminamos / o tomamos el camión? /
TOMÁS: Quiero caminar. /
NATALIA: ¡Vamos! /

1. *¿Qué comprendiste?* ¿Sí o no? Some answers may not be given.

   1. ¿Ellos están en el parque de Chapultepec?   No.
   2. *Encantado* quiere decir *¿Cómo estás?*   No.
   3. ¿Los chicos toman el camión?   No.
   4. ¿Hay un parque en tu ciudad?
   5. ¿Caminas al parque?

8. *Cruzando fronteras.* Listen to the paragraph about the artist Diego Rivera and then answer the questions that follow.

El arte y la política

Los artistas contemporáneos de México pintan murales en las paredes públicas para representar los ideales de la revolución mexicana. El muralista más famoso es Diego Rivera. Rivera usa su imaginación, creatividad y talento para combinar el arte y la política. En las paredes del Palacio Nacional en el Zócalo, los turistas y el público pueden admirar una serie de murales de Rivera que representa toda la historia de México. En una sección, Rivera glorifica el pasado de los aztecas. En otra sección representa los ideales y los líderes de la revolución. Rivera termina con una sección del futuro dónde la gente usa la tecnología para controlar las fuerzas de la naturaleza. La naturaleza es un elemento importante en el arte de Rivera. Sus colores representan los colores de la naturaleza el verde, el azul, el amarillo, el blanco y el negro. También la influencia del cubismo es evidente por el uso de muchas formas geométricas. En todos sus murales, Rivera repite la filosofía de la revolución los ricos no son más importantes que la gente común.

1. ¿Qué representan los murales en las paredes públicas de México?	Los murales representan los ideales de la revolución mexicana.
2. ¿Qué combina Diego Rivera en sus murales?	Combina el arte y la política.
3. ¿Dónde está el mural de la historia de México?	Está en las paredes del Palacio Nacional en el Zócalo.
4. ¿Qué glorifica Rivera en una sección del mural?	Rivera glorifica el pasado de los aztecas.
5. ¿Qué usa la gente del futuro para controlar la naturaleza?	La gente del futuro usa la tecnología para controlar la naturaleza.
6. ¿Cuáles son dos características del arte de Rivera?	Dos características del arte de Rivera son la naturaleza y el cubismo.
7. ¿Cuál es la filosofía de la revolución mexicana?	Los ricos no son más importantes que la gente común.

Vamos a la fiesta

Escucha.

NATALIA: Sabes, hay una fiesta fantástica en el Zócalo. ¿Vas tú?
TOMÁS: ¿Cuándo es la fiesta?
NATALIA: Es mañana, a las nueve de la noche.
FELIPE: Sí, ¿por qué no vamos?
TOMÁS: ¡Claro! ¡Vamos! Y...Elisa va también, ¿no? Es una muchacha simpática y...
NATALIA: No sé. ¿Tienes el número de teléfono de ella?
TOMÁS: No, ¿cuál es?
NATALIA: Es el 592-73-69.

Repite.

NATALIA: Sabes, / hay una fiesta / fantástica / en el Zócalo. / ¿Vas tú? /
TOMÁS: ¿Cuándo es la fiesta? /
NATALIA: Es mañana, / a las nueve de la noche. /
FELIPE: Sí, ¿por qué no vamos? /
TOMÁS: ¡Claro! / ¡Vamos! / Y...Elisa va también, ¿no? / Es una muchacha / simpática y... /
NATALIA: No sé. / ¿Tienes el número / de teléfono / de ella? /
TOMÁS: No, ¿cuál es? /
NATALIA: Es el / 592 / 73 / 69. /

9. *Comprendiste? Contesta las siguientes preguntas.*

1. ¿Dónde hay una fiesta?	Hay una fiesta en el Zócalo.
2. ¿Cómo se llama la amiga de Natalia? Y, ¿cómo es la muchacha?	Se llama Elisa. Es una muchacha simpática.
3. ¿Cuándo hay una fiesta? ¿A qué hora es?	Hay una fiesta mañana. Es a las nueve de la noche.
4. ¿Va Tomás al Zócalo?	¡Claro! Tomás va al Zócalo.
5. ¿Cuál es el número de teléfono de Elisa?	Es el cinco, noventa y dos, setenta y tres, sesenta y nueve.
6. ¿Sabes el número de Felipe?	No, no sé el número de Felipe.

10. *Charlando. Contesta las siguientes preguntas. Las respuestas no están incluidas.*

    1. ¿Eres tú simpático o simpática? ¿Y tu amigo o amiga?
    2. ¿Hay una fiesta mañana?
    3. ¿Sabes a qué hora es la fiesta?
    4. En tu opinión, ¿cuál es tu día favorito para una fiesta? ¿El lunes?

11. *¿Cuál es la pregunta?* Change the following statements to questions by placing the subjects after the verbs.

        Modelo: María es la amiga de Paloma.
                     ¿Es María la amiga de Paloma?

1.	Antonio es de Mérida.	¿Es Antonio de Mérida?
2.	Sara camina al Paseo de la Reforma.	¿Camina Sara al Paseo de la Reforma?
3.	Los muchachos hablan español con la señora Jiménez.	¿Hablan los muchachos español con la señora Jiménez?
4.	Hernán y Lorenzo estudian biología en Acapulco.	¿Estudian Hernán y Lorenzo biología en Acapulco?
5.	El señor Peña toma el camión a León.	¿Toma el señor Peña el camión a León?
6.	La estudiante nueva es muy simpática.	¿Es la estudiante nueva muy simpática?

12. *¿Sí o no?* Answer the questions you formed in the previous activity with *Sí* or *No* according to the cues.

        Modelos: ¿Es María la amiga de Paloma? (Sí)
                   Sí, María es la amiga de Paloma.

                   ¿Es María la amiga de Paloma? (No)
                   No, María no es la amiga de Paloma.

1.	¿Es Antonio de Mérida? (Sí)	Sí, Antonio es de Mérida.
2.	¿Camina Sara al Paseo de la Reforma? (Sí)	Sí, Sara camina al Paseo de la Reforma.
3.	¿Hablan los muchachos español con la señora Jiménez? (No)	No, los muchachos no hablan español con la señora Jiménez.
4.	¿Estudian Hernán y Lorenzo biología en Acapulco? (No)	No, Hernán y Lorenzo no estudian biología en Acapulco.
5.	¿Toma el señor Peña el camión a León? (Sí)	Sí, el señor Peña toma el camión a León.
6.	¿Es la estudiante nueva muy simpática? (No)	No, la estudiante nueva no es muy simpática.

¿Vas a la fiesta?

Escucha.

ELISA: Bueno.
TOMÁS: Aló. Soy yo, Tomás. Voy a una fiesta mañana en el Zócalo con Felipe y Natalia. ¿Por qué no vas con nosotros?
ELISA: ¿Está el Zócalo cerca de aquí?
TOMÁS: No, está lejos de aquí. Tú vas, ¿verdad?

ELISA:	No, no voy.
TOMÁS:	¡Ay! ¿Por qué?
ELISA:	No voy porque no tengo transporte.
TOMÁS:	Mmm...no hay problema. Mi amiga Marisa va en carro...¡y tú vas con ella!
ELISA:	¡Fantástico!

Repite.

ELISA:	Bueno. /
TOMÁS:	Aló. / Soy yo, Tomás. / Voy a una fiesta / mañana en el Zócalo / con Felipe y Natalia. / ¿Por qué no vas / con nosotros? /
ELISA:	¿Está el Zócalo / cerca de aquí? /
TOMÁS:	No, está lejos de aquí. / Tú vas, ¿verdad? /
ELISA:	No, no voy. /
TOMÁS:	¡Ay! / ¿Por qué? /
ELISA:	No voy / porque no tengo transporte. /
TOMÁS:	Mmm...no hay problema. / Mi amiga Marisa / va en carro... / ¡y tú vas con ella! /
ELISA:	¡Fantástico! /

16. *¿Qué comprendiste? Contesta las siguientes preguntas.*

1.	¿Con quién habla Tomás?	Tomás habla con Elisa.
2.	¿Va Tomás a una fiesta?	Sí, va a una fiesta.
3.	El Zócalo está cerca, ¿verdad?	No, el Zócalo está lejos.
4.	¿Con quiénes va Tomás?	Tomás va con Felipe y Natalia.
5.	¿Elisa va con ellos también?	No, ella no va con ellos.
6.	Marisa va a la fiesta en camión, ¿no?	No, Marisa va en carro.
7.	En fin Elisa va a la fiesta, ¿verdad?	Sí, Elisa va a la fiesta.

17. *Charlando. Contesta las siguientes preguntas. Las respuestas no están incluidas.*

1. ¿Vas a fiestas?
2. ¿Con quiénes vas?
3. ¿Vas en carro? ¿Caminas?
4. ¿Vas en tu carro o en el carro de tu amigo o amiga?

¿Adónde vamos?

Escucha y repite.

el parque / la escuela / la cafetería / la biblioteca / el cine / el dentista / la dentista / el médico / la médica / el banco / la oficina / el hotel /

19. *¿Adónde van?* **Indicate where in Morelia the following people are going.**

> **Modelo:** Paco / la biblioteca
> Paco va a la biblioteca.

1.	Carlota y yo / la oficina	Carlota y yo vamos a la oficina.
2.	don Pablo / el hotel	Don Pablo va al hotel.
3.	Ud. / el banco	Ud. va al banco.

4. tú / el cine   Tú vas al cine.
5. Isabel y Pepe / la escuela   Isabel y Pepe van a la escuela.
6. la señora Cabos / el dentista   La señora Cabos va al dentista.
7. las muchachas / la cafetería   Las muchachas van a la cafetería.
8. yo / el parque   Yo voy al parque.

20. *Y tú, ¿adónde vas en Morelia?* **Answer questions to find out where these tourists are going according to the cues.**

      Modelos: ¿Adónde vas? ¿Al Cine Rex? (Sí)
                      Sí, voy al Cine Rex.

                      ¿Adónde vas? ¿Al Cine Rex? (No)
                      No, no voy al Cine Rex.

1. ¿Adónde va Laura? ¿A la biblioteca? (No)   No, no va a la biblioteca.
2. ¿Adónde van Uds.? ¿A la cafetería? (Sí)   Sí, vamos a la cafetería.
3. ¿Adónde van los muchachos? ¿Al parque? (No)   No, no van al parque.
4. ¿Adónde vamos? ¿Al Hotel San Lorenzo? (No)   No, no vamos al Hotel San Lorenzo.
5. ¿Adónde vas? ¿Al banco? (Sí)   Sí, voy al banco.
6. ¿Adónde va don Enrique? ¿A la dentista? (Sí)   Sí, va a la dentista.

¿Cómo vamos?

Escucha y repite.

en carro / en autobús / en bicicleta / en moto / en motocicleta / en tren / a pie / en avión / en metro / en barco / a caballo / en taxi / en camión /

22. *¿Cómo vamos?* **Indicate how the following people are going to arrive at their destination.**

      Modelo: Yolanda y Pedro / biblioteca / a pie
                    Yolanda y Pedro van a la biblioteca a pie.

1. Luz y yo / escuela / en carro   Luz y yo vamos a la escuela en carro.
2. Paco / Veracruz / en avión   Paco va a Veracruz en avión.
3. Teresa y Luisa / cine / en autobús   Teresa y Luisa van al cine en autobús.
4. tú / oficina / en tren   Tú vas a la oficina en tren.
5. nosotros / fiesta / en taxi   Nosotros vamos a la fiesta en taxi.
6. Uds. / banco / en moto   Uds. van al banco en moto.
7. Mercedes / cafetería / en bicicleta   Mercedes va a la cafetería en bicicleta.
8. Ud. / Zócalo / en metro   Ud. va al Zócalo en metro.
9. yo / Isla Mujeres / en barco   Yo voy a Isla Mujeres en barco.
10. Andrés y Martín / parque / a caballo   Andrés y Martín van al parque a caballo.

Este es el fin de la Lección 5.

LECCIÓN 6

¡Vamos a ir al centro!

Escucha.

MARIANA: ¿Qué voy a hacer en el centro? Voy a las tiendas de la calle Constitución, ¡claro!
ESTEBAN: Voy a tomar el autobús a la ciudad, y voy a ir al museo.
JULIA: Voy al centro con mi amiga María en metro. Vamos a ir a un restaurante y al concierto de mi cantante favorito, ¡Luis Miguel!
ROGELIO: Hay muchos edificios grandes en el centro—teatros, museos, tiendas. No sé qué voy a hacer…¿leer una revista en el parque?

Repite.

MARIANA: ¿Qué voy a hacer / en el centro? / Voy a las tiendas / de la calle Constitución, / ¡claro! /
ESTEBAN: Voy a tomar el autobús / a la ciudad, / y voy a ir al museo. /
JULIA: Voy al centro / con mi amiga María / en metro. / Vamos a ir / a un restaurante / y al concierto / de mi cantante favorito, / ¡Luis Miguel! /
ROGELIO: Hay muchos / edificios grandes / en el centro— / teatros, museos, tiendas. / No sé qué voy a hacer… / ¿leer una revista / en el parque? /

1. *¿Qué comprendiste? Contesta las siguientes preguntas.*

   1. ¿Quiénes van a ir al centro?   Mariana, Esteban, Julia y Rogelio van a ir al centro.
   2. ¿Cuántos edificios hay en el centro?   Hay muchos edificios en el centro. Los edificios
      ¿Cuáles son?   son teatros, museos, restaurantes y tiendas.
   3. ¿Qué van a hacer Julia y María?   Julia y María van a ir a un restaurante y a un concierto.
   4. ¿Quién es Luis Miguel?   Es el cantante favorito de Julia.
   5. Esteban va a la ciudad en metro,   No, Esteban va a la ciudad en autobús.
      ¿verdad? Y, ¿qué va a hacer él?   Él va a ir al museo.

2. *Charlando.* Answer each question with a complete sentence. There will be no response given by the speaker.

   1. ¿Quién es tu cantante favorito o favorita? ¿Vas a conciertos?
   2. ¿Vas a ir a México? ¿A qué ciudad? ¿Cuándo vas a ir?
   3. ¿Cómo se llama tu ciudad? ¿Tienes una ciudad favorita?
   4. ¿Dónde está tu restaurante favorito?
   5. ¿Qué vas a hacer el sábado?

4. *¿Adónde van a ir?* It appears that everyone is going in a different direction tomorrow. Reconfirm where the following people are going to go by writing complete sentences and adding a question word. You may add or change the form of words, as necessary.

   Modelo: Silvia / banco
                 Silvia va a ir al banco, ¿verdad?

   1. Fernando / fiesta   Fernando va a ir a la fiesta, ¿verdad?
   2. tú / escuela a estudiar   Tú vas a ir a la escuela a estudiar, ¿verdad?
   3. doña Angelina / el dentista Pérez Doña Angelina va a ir al dentista Pérez, ¿verdad?

4.	las chicas / concierto de rock	Las chicas van a ir al concierto de rock, ¿verdad?
5.	nosotros / tiendas de la calle Juárez	Nosotros vamos a ir a las tiendas de la calle Juárez, ¿verdad?
6.	Uds. / museo de historia	Uds. van a ir al museo de historia, ¿verdad?
7.	Julia y Rogelio / teatro	Julia y Rogelio van a ir al teatro, ¿verdad?
8.	Ricardo / restaurante Las Estrellas	Ricardo va a ir al restaurante Las Estrellas, ¿verdad?
9.	Ud. / oficina	Ud. va a ir a la oficina, ¿verdad?

Vamos a ir al restaurante

Escucha y repite.

tomar / el jugo de naranja / la ensalada verde / los frijoles / el pescado / el refresco / el agua mineral / el mesero /

Escucha.

JULIA: ¿Por qué no vamos a comer en el restaurante Los Tres Caballeros?
MARÍA: Pues, ¡cómo no! ¡Vamos!

En el restaurante...

MESERO: Aquí está el menú.
JULIA: Gracias. Oye, María, ¿qué vas a comer?
MARÍA: Bueno, siempre como pollo en mole, pero hoy voy a comer pescado.
JULIA: Yo voy a comer una ensalada verde. También quiero un refresco, por favor.
MARÍA: Y yo voy a tomar un jugo de naranja.

Repite.

JULIA: ¿Por qué no vamos a comer / en el restaurante / Los Tres Caballeros? /
MARÍA: Pues, ¡cómo no! / ¡Vamos! /

En el restaurante... /

MESERO: Aquí está el menú. /
JULIA: Gracias. / Oye, María, / ¿qué vas a comer? /
MARÍA: Bueno, siempre como / pollo en mole, / pero hoy voy a comer / pescado. /
JULIA: Yo voy a comer / una ensalada verde. / También quiero un refresco, / por favor. /
MARÍA: Y yo voy a tomar / un jugo de naranja. /

8. *¿Qué comprendiste?* Answer the following statements with sí or no. If the statement is not true, correct it to make it true.

1.	Julia y María van a comer en el restaurante Los Tres Caballeros.	Sí.
2.	María siempre come pescado.	No. Siempre come pollo en mole.
3.	Hoy María va a comer el pescado del día.	Sí.
4.	Las muchachas van a tomar agua mineral.	No. Las muchachas van a tomar un refresco y un jugo de naranja.
5.	El mesero va a comer una ensalada verde.	No. Julia va a comer una ensalada verde.

9. *Charlando. Contesta las siguientes preguntas. Las respuestas no están incluidas.*

1. ¿Tomas agua mineral?
2. ¿Cómo se llama tu refresco favorito?
3. ¿Cuál es tu comida favorita?
4. Tienes cincuenta dólares. ¿Vas a un restaurante, a una tienda o a un concierto?

11. *¿Qué hacen?* Tell what the following people are doing according to the cues using the verbs comer, comprender and leer.

> Modelo: don Javier / comer / pollo
>   Don Javier come pollo.

1.	Catalina / comprender / las matemáticas	Catalina comprende las matemáticas.
2.	los muchachos / leer / el menú	Los muchachos leen el menú.
3.	Gloria y Lupe / no / comprender / el arte	Gloria y Lupe no comprenden el arte.
4.	la mesera / comer / una ensalada	La mesera come una ensalada.
5.	el Sr. Velasco / comer / en el teatro	El señor Velasco come en el teatro.

12. *¡Yo también!* You and your friends have a lot in common. Listen to each statement and say that you or another friend does the same thing. Add an expression such as *pues*, *bueno* or *oye* before your comments. Follow the model.

> Modelo: Víctor come tacos en el restaurante Mexicali. (Sandra y Mercedes / pues)
>   Pues, Sandra y Mercedes comen tacos en el restaurante Mexicali también.

1.	Paco toma agua mineral. (tú / pues)	Pues, tú tomas agua mineral también.
2.	El señor Ugarte lee la revista *Hoy en la ciudad.* (nosotros / bueno)	Bueno, nosotros leemos la revista *Hoy en la ciudad* también.
3.	La profesora comprende el arte de Frida Kahlo. (yo / oye)	Oye, yo comprendo el arte de Frida Kahlo también.
4.	Comemos pollo y frijoles en el centro hoy. (los García / bueno)	Bueno, los García comen pollo y frijoles en el centro hoy también.
5.	Leo periódicos en español y comprendo mucho. (Alberto / pues)	Pues, Alberto lee periódicos en español y comprende mucho también.

¿Qué hacemos?

Escucha.

ROGELIO:	Oye, el D.F. es una ciudad muy grande. Mariana, ¿sabes dónde estamos?
MARIANA:	No, no sé, pero voy a preguntar a la señora de la tienda, ¿de acuerdo?
ROGELIO:	Bueno, y yo voy a hacer unas preguntas en el restaurante cerca de la plaza.
ESTEBAN:	Un momento, veo un edificio grande. Es el Palacio de Bellas Artes, ¿no?
MARIANA:	Sí… ¡fantástico! Ahora, sabemos dónde estamos.
ESTEBAN:	Sí, estamos cerca de la Alameda Central, ¡pero estamos lejos de Chapultepec!

Repite.

ROGELIO: Oye, el D.F. / es una ciudad / muy grande. / Mariana, / ¿sabes dónde estamos? /
MARIANA: No, no sé, / pero voy a preguntar / a la señora de la tienda, / ¿de acuerdo? /
ROGELIO: Bueno, / y yo voy a hacer / unas preguntas / en el restaurante / cerca de la plaza. /
ESTEBAN: Un momento, / veo un edificio grande. / Es el Palacio / de Bellas Artes, ¿no? /
MARIANA: Sí… ¡fantástico! / Ahora, sabemos / dónde estamos. /
ESTEBAN: Sí, estamos cerca / de / la Alameda Central, / ¡pero estamos lejos / de / Chapultepec! /

16. *¿Qué comprendiste? Completa las oraciones de una manera lógica.*

1.	Los muchachos están en....	...una ciudad grande.
2.	Mariana va a preguntar....	...a la señora de la tienda.
3.	Esteban ve un....	...edificio grande.
4.	El edificio es....	...el Palacio de Bellas Artes.
5.	Ahora, saben....	...dónde están.
6.	Los chicos están cerca....	...de la Alameda Central.

17. *Charlando. Contesta las siguientes preguntas. Las respuestas no están incluidas.*

1. ¿Qué ves en el centro de tu ciudad?
2. ¿Haces una pregunta cuando necesitas la información?
3. Si no comprendes una palabra, ¿qué haces?
4. En tu clase de español, ¿quién hace muchas preguntas?
5. ¿Qué sabes de México, D.F.? ¿Qué hay en la ciudad?

18. *¿Qué pasa?* Describe what the following people do, see or know with a complete sentence in Spanish.

1.	Enrique / hacer la comida	Enrique hace la comida.
2.	la señora Jiménez / saber la dirección del teatro	La señora Jiménez sabe la dirección del teatro.
3.	los Téllez / ir al edificio	Los Téllez van al edificio.
4.	Laura / hacer una pregunta	Laura hace una pregunta.
5.	Sara y Daniel / ver el autobús	Sara y Daniel ven el autobús.
6.	ellos / no / saber el número de teléfono de Luis	Ellos no saben el número de teléfono de Luis.
7.	Carlos / no / ver la calle	Carlos no ve la calle.

Este es el fin de la Lección 6.

A LEER

Escucha.

Frida Kahlo, una artista universal

Muchos críticos del arte contemporáneo consideran que Frida Kahlo, como pintora, es más importante que su esposo, Diego Rivera, porque los cuadros de Kahlo expresan temas humanos y universales. Como Rivera ella comprendió el impacto social de combinar el arte y la política, pero sus temas son más universales. Por ejemplo, ella trató los aspectos negativos de la industrialización, la contaminación del aire y de la naturaleza.

Otros temas en los cuadros de Frida son los problemas de la vida. Frida siempre tuvo problemas físicos. De muchacha, ella tuvo polio. A los dieciocho años, tuvo un accidente terrible de tráfico en la Ciudad de México. Después del accidente, sufrió mucho dolor porque tuvo muchas operaciones. En su cuadro, Sin esperanza (Without Hope), las bacterias simbolizan las enfermedades que Frida tuvo. El uso del color rojo expresa sus emociones y su gran dolor.

Un tema que Frida y Diego tienen en común es el orgullo de la cultura indígena de México. Frida tenía raíces indígenas y adoptó el estilo de la ropa y del pelo de una india para expresar su orgullo indígena. Además, sus autorretratos representan la cultura indígena mediante el uso de plantas, animales exóticos y colores de la naturaleza.

A . *¿Qué comprendiste? Contesta las siguientes preguntas.*

1. ¿Por qué consideran muchos críticos el arte de Frida Kahlo más importante que el arte de su esposo?	El arte de Frida expresa temas humanos y universales.
2. ¿Qué aspectos de la industrialización pintó Frida?	Ella pintó los aspectos negativos como la contaminación del aire y de la naturaleza.
3. ¿Por qué sufrió Frida mucho dolor físico?	Ella tuvo polio y de un accidente de tráfico.
4. ¿Qué simbolizan las bacterias en su cuadro, *Sin esperanza*?	Las bacterias simbolizan las enfermedades que Frida tuvo.
5. ¿Por qué usa el color rojo?	El color rojo expresa sus emociones y su gran dolor.
6. ¿Qué adoptó para expresar su orgullo de los indígenas en su autorretrato?	Ella adoptó la ropa y el pelo indígena, y también las plantas, los animales y los colores de la naturaleza.

B . *Charlando. Contesta las siguientes preguntas. Las respuestas no están incluidas.*

1. ¿Qué cuadro de Frida Kahlo es tu favorito?
2. ¿Cuál de los temas universales de Frida Kahlo es tu favorito?

Este es el fin de la sección A leer del Capítulo 3.

CAPÍTULO 4
Relaciones

LECCIÓN 7

En casa de mi abuela

Escucha.

Es una foto de unos parientes, mi tío, Héctor, su esposa, Ana, y mi abuela.

Mi prima, Adela, la hija única de Héctor y Ana, es bonita y muy popular. Sale mucho con sus amigos.
Es mi hermana, Hilda, con mis otros primos, Eduardo y Carlos. ¡Ellos son muy divertidos!

Aquí está papá en la playa. Quiero mucho a mi papá.

Me llamo Humberto Hernández Solís, pero para mi familia soy Beto. Estoy en San Juan, Puerto Rico, por todo el verano en casa de mi abuela. Ella es muy amable y cariñosa, ¡y yo soy su nieto favorito! Mis padres y yo vivimos en Nueva York. Aquí en Puerto Rico hacemos mucho, y nunca estamos mucho tiempo en casa.

Repite.

Es una foto / de unos parientes, / mi tío, Héctor, / su esposa, Ana, / y mi abuela. /

Mi prima, Adela, / la hija única / de Héctor y Ana, / es bonita / y muy popular. / Sale mucho / con sus amigos. /

Es mi hermana, Hilda, / con mis otros primos, / Eduardo y Carlos. / ¡Ellos son / muy divertidos! /

Aquí está papá / en la playa. / Quiero mucho a mi papá. /

Me llamo / Humberto Hernández Solís, / pero para mi familia / soy Beto. / Estoy en San Juan, / Puerto Rico, / por todo el verano / en casa de mi abuela. / Ella es muy amable / y cariñosa, / ¡y yo soy / su nieto favorito! / Mis padres y yo / vivimos en Nueva York. / Aquí en Puerto Rico / hacemos mucho, / y nunca estamos / mucho tiempo en casa. /

Mi familia

Escucha y repite.

abuela / abuelo / hijos / esposos / hermanos / nietos / mi tía / mi tío / mi padre / mi madre / mis primos / hija única / mi prima / mi hermana /

2. *Charlando. Contesta las siguientes preguntas. Las respuestas no están incluidas.*

   1. ¿Cuántos parientes tienes? ¿Quiénes son?
   2. ¿Cuántos hermanos tienes? ¿Cómo son ellos? O, ¿eres hijo único o hija única?

3. ¿Dónde está tu casa? ¿Estás en casa mucho tiempo?
4. ¿Quiénes viven en tu casa?
5. ¿Adónde vas en el verano? ¿Vas a la playa?
6. Para la familia de Humberto, él es Beto. ¿Cómo te llamas para tu familia?

¿Cómo son Marité y sus hermanos?

Escucha.

Soy María Teresa… bueno, Marité para mis amigos y parientes. ¿Cómo soy yo? Pues, soy divertida y muy buena estudiante, pero estoy cansada hoy.

Mi hermana, Sandi, es simpática. Y muy guapa, ¿no? Pero está triste porque su amigo Alex sale de Puerto Rico para vivir en México.

Mi hermano, Jesús, está enfermo hoy. Claro, ¡no está contento! Pero él es cariñoso y muy amable.

Repite.

Soy María Teresa… / bueno, Marité / para mis amigos / y parientes. / ¿Cómo soy yo? / Pues, soy divertida / y muy buena / estudiante, / pero estoy cansada hoy. /

Mi hermana, Sandi, / es simpática. / Y muy guapa, ¿no? / Pero está triste / porque su amigo Alex / sale de Puerto Rico / para vivir en México. /

Mi hermano, Jesús, / está enfermo hoy. / Claro, ¡no está contento! / Pero él es cariñoso / y muy amable. /

10. *¿Qué comprendiste? Contesta las siguientes preguntas.*

1. ¿Quién es Sandi? ¿Cómo es?	Sandi es la hermana de Marité. Es simpática y muy guapa.
2. ¿Quién es Jesús? ¿Cómo está hoy? Él va a una fiesta hoy, ¿no?	Jesús es el hermano de Marité. Jesús está enfermo hoy. No, no va a una fiesta hoy.
3. ¿Adónde va a vivir Alex?	Alex va a vivir en México.
4. Marité está triste, ¿verdad?	No, Marité no está triste. Sandi está triste.
5. ¿Son simpáticos los hermanos de Marité?	Sí, sus hermanos son simpáticos.

11. *Charlando. Contesta las siguientes preguntas. Las respuestas no están incluidas.*

1. En tu familia, ¿quién es guapo o guapa?
2. ¿Quién está enfermo o enferma hoy en tu casa?
3. ¿Siempre estás contento o contenta?
4. ¿Tienes mucho tiempo libre? ¿Qué haces?

15. *¿Cómo están?* Describe how these people or things are at this moment.

Modelo: Norma / enferma
           Norma está enferma.

1. el refresco / frío   El refresco está frío.
2. Elsa / muy ocupada   Elsa está muy ocupada.
3. las ventanas / abiertas   Las ventanas están abiertas.
4. la playa / sucia   La playa está sucia.
5. los Chávez / apurados   Los Chávez están apurados.
6. Eduardo / cansado   Eduardo está cansado.
7. todos los teléfonos / ocupados   Todos los teléfonos están ocupados.
8. el carro / limpio   El carro está limpio.

¡Qué divertido!

Escucha.

MARITÉ: ¡Qué divertido! ¿Tienes más fotos?
BETO: Sí, tengo muchas más. Tengo unas fotos sus Puerto Rico.

Repite.

MARITÉ: ¡Qué divertido! / ¿Tienes más fotos? /
BETO: Sí, tengo muchas más. / Tengo unas fotos / de Puerto Rico. /

Este es el fin de la Lección 7

LECCIÓN 8

Mis amigos

Escucha.

PEDRO: ¿Por qué no vamos ahora a la playa de El Dorado? Mónica, la hermana de Miguel, va también.
SERGIO: Ah, claro... ¡te gusta la muchacha!
PEDRO: Sí, me gusta mucho.
SERGIO: Bueno. Y, ¿cómo es ella?
PEDRO: Es morena, no muy alta, muy amable, muy inteligente y con una voz muy dulce.
SERGIO: Ah, sí. Pues, Mónica siempre va a El Dorado. Bueno, chico, ¿por qué no vamos a la playa mañana? Hoy quiero ir a ver el partido de béisbol.

Repite.

PEDRO: ¿Por qué no vamos ahora / a la playa / de El Dorado? / Mónica, / la hermana de Miguel, / va también. /
SERGIO: Ah, claro... / ¡te gusta la muchacha! /
PEDRO: Sí, me gusta mucho. /

SERGIO: Bueno. / Y, ¿ cómo es ella? /
PEDRO: Es morena, / no muy alta, / muy amable, / muy inteligente / y con una voz /
            muy dulce. /
SERGIO: Ah, sí. / Pues, Mónica siempre va / a El Dorado. / Bueno, chico, / ¿por qué no vamos /
            a la playa mañana? / Hoy quiero ir a ver / el partido de béisbol. /

1. *¿Qué comprendiste?* *Contesta las siguientes preguntas.*

1.	¿Quién es Sergio?	Es el amigo de Pedro.
2.	¿Cómo se llama la hermana de Miguel? ¿Adónde va ella ahora?	Se llama Mónica. Ella va a la playa ahora.
3.	¿Cómo es ella? Y, ¿cómo es su voz?	Es amable y no muy alta. Y tiene una voz muy dulce.
4.	Mónica nunca va a la playa de El Dorado, ¿verdad?	No. Mónica siempre va a la playa de El Dorado.
5.	¿Adónde van los muchachos hoy?	Hoy van a ver el partido de béisbol.

2. *Charlando.* *Contesta las siguientes preguntas. Las respuestas no están incluidas.*

1. ¿Te gusta ir a la playa? ¿Te gusta ver un partido de béisbol?
2. ¿Eres alto o alta?
3. ¿Cómo eres tú? Eres inteligente, ¿verdad?
4. ¿Qué te gusta hacer con tus amigos?

3. *Cruzando fronteras.* **Listen to the following statements about** *La República Dominicana.* **There may be some words that you do not know. Then tell whether the statements are true** *(verdad)* **or false** *(falso).*

1.	La Española es una isla en el Caribe.	verdad
2.	La República Dominicana está en la isla La Española.	verdad
3.	San Juan es la capital dominicana.	falso
4.	Cortés, Balboa y Velázquez fueron exploradores.	verdad
5.	La lengua oficial de la República Dominicana es el inglés.	falso
6.	El merengue es muy popular en la República Dominicana.	verdad
7.	Muchos beisbolistas profesionales son de la República Dominicana.	verdad

6. *Me gusta....* **Say that you like to do the following things.**

Modelo: hablar español en casa
               Me gusta hablar español en casa

1.	ir a partidos de béisbol	Me gusta ir a partidos de béisbol.
2.	leer revistas	Me gusta leer revistas.
3.	caminar en la playa	Me gusta caminar en la playa.
4.	tomar el autobús	Me gusta tomar el autobús.
5.	salir con amigos	Me gusta salir con amigos.
6.	estar en casa los sábados	Me gusta estar en casa los sábados.
7.	ir a conciertos de rock	Me gusta ir a conciertos de rock.

7. *No, no me gusta....* Say that you don't like the following things.

> **Modelos:** ¿Te gustan los museos?
> No, no me gustan los museos.
>
> ¿Te gusta la música dominicana?
> No, no me gusta la música dominicana.

1.	¿Te gusta la ensalada?	No, no me gusta la ensalada.
2.	¿Te gustan los caballos?	No, no me gustan los caballos.
3.	¿Te gustan los partidos de béisbol?	No, no me gustan los partidos de béisbol.
4.	¿Te gusta el cine?	No, no me gusta el cine.
5.	¿Te gustan los conciertos?	No, no me gustan los conciertos.
6.	¿Te gustan los barcos?	No, no me gustan los barcos.

¿Qué te gusta hacer?

Escucha y repite.

jugar al béisbol / bailar / cantar / ver televisión / ver la televisión / jugar al tenis / tocar el piano / nadar / ir de compras / oír radio / oír la radio / hacer la tarea / mirar fotos / comprar / patinar sobre ruedas / preguntar y contestar /

11. *¿Qué te gusta?* Combine words with a form of gustar to make sentences. Some of your sentences will be negative. Follow the model.

> **Modelo:** a nosotros / la música dominicana
> A nosotros nos gusta la música dominicana.

1.	a ti / los abuelos	A ti te gustan los abuelos.
2.	a mis hermanos / el verano	A mis hermanos les gusta el verano.
3.	a mi padre / jugar al béisbol	A mi padre le gusta jugar al béisbol.
4.	a mi tía / los partidos de tenis	A mi tía le gustan los partidos de tenis.
5.	a mí / las fotos de familia y de amigos	A mí me gustan las fotos de familia y de amigos.
6.	a Ud. / hablar	A Ud. le gusta hablar.

¿Cómo son?

Escucha y repite.

fea / guapa / delgado / gordo / alto / bajo / difícil / fácil / calvo / rubia / pelirrojo / canosa / moreno / divertido / aburrido / bueno / malo / tonta / inteligente / rápido / lenta /

16. *Palabras antónimas.* Give the opposite meaning of each word. Be sure to match gender and number.

1.	abiertas	cerradas
2.	difícil	fácil
3.	fríos	calientes
4.	feo	bonito
5.	aburrido	interesante

6. contenta	triste
7. buena	mala
8. ocupadas	libres
9. bajos	altos
10. inteligente	tonto
11. rápida	lenta
12. delgados	gordos

18. *¿Es calvo tu abuelo?* Describe the following people, being as creative as you can. Invent descriptions if you wish. Use at least two adjectives per description. There will be no response given by the speaker.

> Modelo: mi amiga favorita
> Es muy amable y guapa.

1. mi amigo favorito
2. mis primos
3. mi abuela
4. mi dentista
5. mis tíos
6. el profesor o la profesora de matemáticas
7. el amigo de mi hermana
8. mi tía

Este es el fin de la Lección 8.

A LEER

Escucha.

Los Martínez, una familia de beisbolistas

El béisbol no sólo es un deporte muy popular en los EE.UU., también es muy popular en muchos países hispanos. A la gente de Puerto Rico, de Cuba y de la República Dominicana les gusta mucho jugar al béisbol. Y muchos beisbolistas profesionales son hispanos.

Por ejemplo, la familia Martínez de la República Dominicana tiene tres hijos que son beisbolistas en las ligas profesionales de los EE.UU. Su hijo mayor, Ramón Martínez, es un lanzador para los Dodgers de Los Ángeles. Pedro Martínez, que es el hermano menor, es un lanzador para los Medias Rojas de Boston. En adición, Jesús Martínez, el hijo menor de la familia, es un lanzador en las ligas menores de los Dodgers.

Ramónes es el ídolo de sus hermanos menores. Pero Pedro es el más famoso de los tres porque es el primer dominicano que ganó el premio de Cy Young de la liga nacional. Los tres hermanos no juegan al béisbol todo el tiempo. También les gusta nadar, oír música y pasar tiempo en la República Dominicana con sus padres. Los Martínez—una familia unida por el béisbol.

A. *¿Qué comprendiste? Contesta las siguientes preguntas.*

1. ¿Dónde es popular el béisbol? — Es popular en los EE.UU. y en muchos países hispanos.

2. ¿Qué son los tres hijos de la familia Martínez? — Son beisbolistas en las ligas profesionales de los EE.UU.

3. ¿En qué posición juegan ellos? — Ellos son lanzadores.

4. ¿Para qué equipo juega Ramón? — Ramón juega para los Dodgers.

5. ¿Por qué es muy famoso Pedro? — Es el primer dominicano que ganó el premio de Cy Young.

6. ¿Qué hacen los hermanos Martínez además de jugar al béisbol? — Les gusta nadar, oír música y pasar tiempo en la República Dominicana con sus padres.

B. *Charlando. Contesta las siguientes preguntas. Las respuestas no están incluidas.*

1. ¿Te gusta más jugar o ver el béisbol?
2. ¿Tienes un equipo profesional favorito? ¿Cuál es?
3. ¿Tienes un beisbolista favorito? ¿Quién es?
4. ¿Vas a los partidos profesionales? ¿A cuáles?

Este es el fin de la sección A leer del Capítulo 4.

CAPÍTULO 5
La vida diaria

LECCIÓN 9

Un día en Puerto Limón

Escucha y repite.

el estéreo / la mandolina / la guitarra / los casetes / el disco compacto / el tocadiscos / la grabadora / el dinero / el gato / el perro /

Escucha.

MERCEDES: ¡Ah! Aquí está la tienda de música. Voy a ver si tienen el disco compacto con la canción Loco amor, que es de la película ¡Estás loco, Miguel!

NORA: ¿Otra tienda? ¡Caramba, Meche! No tenemos mucho tiempo en Puerto Limón y quiero comer unos tamales y pasar unas horas en Playa Bonita.

MERCEDES: ¡Qué lástima! Pues, sí, ¡vamos a la playa! Pero ahora necesito buscar el CD. Entro en la tienda, lo compro y en un momento salimos. ¿De acuerdo?

RAÚL: ¿En un momento?

MERCEDES: Sí, no voy a comprar mucho. ¡No tengo mucho dinero!

RAÚL: ¡Qué sorpresa!

Repite.

MERCEDES: ¡Ah! / Aquí está / la tienda de música. / Voy a ver si tienen / el disco compacto / con la canción / Loco amor, / que es de la película / ¡Estás loco, Miguel! /

NORA: ¿Otra tienda? / ¡Caramba, Meche! / No tenemos mucho tiempo / en Puerto Limón / y quiero comer / unos tamales / y pasar unas horas / en Playa Bonita. /

MERCEDES: ¡Qué lástima! / Pues, sí, / ¡vamos a la playa! / Pero ahora / necesito buscar / el CD. / Entro en la tienda, / lo compro / y en un momento / salimos. / ¿De acuerdo? /

RAÚL: ¿En un momento? /

MERCEDES: Sí, no voy a comprar mucho. / ¡No tengo mucho dinero! /

RAÚL: ¡Qué sorpresa! /

1. *¿Qué comprendiste? Contesta las siguientes preguntas.*

1.	¿En qué ciudad están los chicos?	Están en Puerto Limón.
2.	¿Qué va a comprar Mercedes?	Ella va a comprar un disco compacto.
3.	¿Cómo se llama el disco compacto? ¿Y la película?	El disco compacto se llama Loco amor. La película se llama ¡Estás loco, Miguel!
4.	¿Qué va a comer Nora? ¿Adónde van a ir?	Nora va a comer unos tamales. Van a pasar unas horas en Playa Bonita.
5.	¿En qué tienda entra Mercedes?	Entra en la tienda de música.
6.	¿Va a comprar mucho Mercedes?	No, no va a comprar mucho.

3. *Charlando.* **Answer each question with a complete sentence. There will be no response given by the speaker.**

1. ¿Te gusta la música? ¿De qué tipo?
2. ¿Tienes casetes o discos compactos? ¿Cuántos?
3. ¿Qué canciones son populares ahora? ¿Cómo se llaman los cantantes?
4. ¿Tienes una grabadora, un tocadiscos o un estéreo?
5. ¿Entras en las tiendas para mirar o comprar?

6. *¡Qué...!* **Express your reactions to the following things, using** *qué* **plus a noun.**

Modelo: película
          ¡Qué película!

1.	sorpresa	¡Qué sorpresa!
2.	lástima	¡Qué lástima!
3.	canción	¡Qué canción!
4.	perro	¡Qué perro!
5.	guitarra	¡Qué guitarra!
6.	música	¡Qué música!
7.	caballo	¡Qué caballo!

8. *¿Qué tienen?* Tell what each person has according to the cue given, using the verb *tener*.

    Modelo: ¿Qué tiene Carolina? (un disco compacto nuevo)
               Carolina tiene un disco compacto nuevo.

    1. ¿Qué tienen Marta y Raquel? (muchos casetes)   Tienen muchos casetes.
    2. ¿Qué tenemos nosotros? (una guitarra)   Tenemos una guitarra.
    3. ¿Qué tiene Ud.? (una grabadora fantástica)   Yo tengo una grabadora fantástica.
    4. ¿Qué tengo yo? (dos perros grandes)   Tú tienes dos perros grandes.
    5. ¿Qué tiene don Pedro? (un mapa de Costa Rica)   Tiene un mapa de Costa Rica.
    6. ¿Qué tienes tú? (mucho dinero)   Tengo mucho dinero.
    7. ¿Qué tienen Teresa y su hermano?   Tienen un estéreo con dos parlantes.
       (un estéreo con dos parlantes)

10. *¿Qué ves?* Say that you see the following people or things.

    Modelos: ¿Ves la ventana?
                Sí, la veo.

                ¿Ves el tocadiscos?
                Sí, lo veo.

    1. ¿Ves la computadora?   Sí, la veo.
    2. ¿Ves el carro?   Sí, lo veo.
    3. ¿Ves los discos compactos?   Sí, los veo.
    4. ¿Ves la grabadora?   Sí, la veo.
    5. ¿Ves el libro de español?   Sí, lo veo.
    6. ¿Ves el reloj?   Sí, lo veo.
    7. ¿Ves las revistas de música?   Sí, las veo.
    8. ¿Me ves?   Sí, te veo.

11. *¿Los o las? Contesta las siguientes preguntas con los o las.*

    Modelo: ¿Tienes los libros para tus clases?
               Sí, los tengo.

    1. ¿Necesitas los mapas de Puerto Limón?   Sí, los necesito.
    2. ¿Pasas las horas libres en la playa?   Sí, las paso.
    3. ¿Lees las revistas en español?   Sí, las leo.
    4. ¿Compras los discos compactos de tu cantante   Sí, los compro.
       favorito o favorita?
    5. ¿Entras los números en la computadora?   Sí, los entro.
    6. ¿Cantas las canciones de amor?   Sí, las canto.

12. *¿Qué tenemos?* Imagine you are part of a tour group that is visiting Cartago, Costa Rica. Answer the following questions negatively using a direct object pronoun. Follow the model.

> Modelo: ¿Tienes los tamales de pollo?
> No, no los tengo.

1. ¿Tenemos el dinero?	No, no lo tenemos.
2. ¿Tiene la señora García el mapa de Cartago?	No, no lo tiene.
3. ¿Tengo la comida del almuerzo?	No, no la tienes.
4. ¿Tiene Pedro el libro de la Basílica de Los Ángeles?	No, no lo tiene.
5. ¿Tienes casetes de la nueva canción?	No, no los tengo.
6. ¿Tienen Juan y Marta las grabadoras?	No, no las tienen.

El horario de Mercedes

Las actividades de la semana que viene

Escucha y repite.

el lunes / Biblioteca / (estudiar / para el examen) /
el martes / Librería / (comprar libro nuevo) / Ir al partido / de fútbol / con Raúl / 4:00 /
el miércoles / Práctica de tenis / 2:30 /
el jueves / Clase de guitarra / 3:30 / Llamar a mi tía /
el viernes / Fiesta sorpresa / casa de Nora / (buscar el CD / de G. Estefan) /
el sábado / Tienda de música / (abre a las 10:00) / Hacer la maleta / para hacer un viaje /
el domingo / Salir para Alajuela / 9:00 / Comer con mis amigos / 2:30 /

17. *¿Qué comprendiste? ¿Sí o No?* If the answer is *No*, make corrections so the statement is true.

1. Mercedes pasa mucho tiempo libre en la playa.	No, no pasa mucho tiempo libre en la playa.
2. Va a la librería para buscar el nuevo disco compacto de Gloria Estefan.	No, va a la librería para comprar un libro nuevo.
3. Ella hace la maleta para un viaje.	Sí.
4. Hace un viaje para ver a sus amigos en San José.	No, hace un viaje para ver a sus amigos en Alajuela.
5. No va a estudiar la semana que viene.	No, va a estudiar el lunes.
6. Le gusta tocar la guitarra.	Sí.
7. Mercedes está ocupada todos los días.	Sí.
8. La tienda de música no abre los sábados.	No, la tienda de música abre a las diez los sábados.

18. *Charlando. Contesta las siguientes preguntas. Las respuestas no están incluidas.*

1. Si vas a una librería, ¿qué compras?
2. ¿Tienes clases de guitarra? ¿De piano? ¿Qué días?
3. ¿Tienes práctica de tenis? ¿De fútbol? ¿Cuándo?
4. ¿Qué actividades haces la semana que viene?

5. ¿Vas a hacer un viaje? ¿Adónde? ¿Necesitas hacer la maleta?
6. ¿A quién vas a llamar hoy? ¿Mañana?
7. ¿Abres los libros para estudiar todos los días? Y, ¿ si tienes un examen?

Otra semana, ¡más actividades!

Escucha.

MERCEDES: ¡Caramba, tico! Siempre estoy tan ocupada y hoy estoy un poco cansada.
RAÚL: Pues, macha, te gusta hacer muchas actividades.
MERCEDES: Sí, porque San José es tan interesante: museos, deportes, música. Mañana voy primero al Museo de Arte Contemporáneo y luego a montar en bicicleta con Nora por el parque Braulio Carrillo. El viernes Nora no tiene mucho tiempo, entonces otra compañera y yo vamos a un partido de fútbol, y el sábado a un concierto de la nueva canción en el Teatro Nacional.
RAÚL: ¡Qué semana! No quiero oír más. ¡Ahora yo estoy cansado!

Repite.

MERCEDES: ¡Caramba, tico! / Siempre estoy / tan ocupada / y hoy estoy / un poco cansada. /
RAÚL: Pues, macha, / te gusta hacer / muchas actividades. /
MERCEDES: Sí, porque San José / es tan interesante: / museos, / deportes, / música. / Mañana voy primero / al Museo de Arte / Contemporáneo / y luego a montar / en bicicleta con Nora / por el parque / Braulio Carrillo. / El viernes / Nora no tiene / mucho tiempo, / entonces / otra compañera / y yo / vamos a un partido / de fútbol, / y el sábado / a un concierto / de la nueva canción / en el Teatro Nacional. /
RAÚL: ¡Qué semana! / No quiero oír más. / ¡Ahora / yo estoy cansado! /

23. Charlando. *Contesta las siguientes preguntas. Las respuestas no están incluidas.*

1. ¿Te gustan los deportes? ¿Cuáles?
2. ¿Estás un poco cansado o cansada hoy? ¿Por qué?
3. Si no estás tan ocupado o ocupada, ¿qué te gusta hacer?
4. ¿Te gusta montar en bicicleta? ¿En motocicleta?
5. Los fines de semana, ¿qué haces primero? ¿Y entonces?

26. ¿*Qué te gusta y qué no te gusta?* Tell which of the following things you like and do not like. There will be no response given by the speaker.

Modelos: ¿Te gusta la música de la radio?
Sí, la música de la radio me gusta.

¿Te gusta la música de la radio?
No, la música de la radio no me gusta.

1. ¿Te gusta el fin de semana?
2. ¿Te gusta llamar a tus compañeros?
3. ¿Te gustan las películas de amor?
4. ¿Te gusta hacer viajes?
5. ¿Te gustan los gatos?
6. ¿Te gusta el fútbol?

Este es el fin de la Lección 9.

LECCIÓN 10

La carta de Laura

Escucha.

Managua, martes 13 de noviembre

Querida Isabel,

¿Cómo estás? Yo estoy muy bien. Ayer fue mi cumpleaños. Fue un día fantástico. Mañana, miércoles, mis padres, mi hermano mayor, mi hermana menor y yo vamos a Granada a ver a mis tíos. Vamos a estar allí hasta el domingo.

El jueves vamos a comer todos en casa de mi tío para celebrar su cumpleaños. Mi tía y todos los primos van a estar allí también. ¡Qué fiesta! El viernes tengo otra fiesta en casa de mis amigos y el sábado muy temprano mi tía y yo vamos de compras. El domingo voy a un partido de béisbol (los Tiburones de Managua van a jugar).

Y tú, ¿cuándo vienes? ¿El fin de semana que viene o en diciembre, para la Navidad?

Bueno, amiga, es tarde. ¡No escribo más!

Tu amiga de siempre,

Laura

1. *¿Qué comprendiste? Contesta las siguientes preguntas.*

1.	¿Qué escribe Laura?	Laura escribe una carta.
2.	¿Cuándo fue el cumpleaños de Laura?	El cumpleaños de Laura fue el lunes.
3.	¿Adónde van Laura y su familia el miércoles? ¿Hasta cuándo van a estar allí?	Ella y su familia van a Granada. Van a estar allí hasta el domingo.
4.	¿Cuántos hermanos tiene Laura?	Tiene un hermano mayor y una hermana menor.
5.	¿Qué hace Laura el jueves? ¿Qué celebran?	El jueves Laura come en casa de su tío. Celebran el cumpleaños de su tío.
6.	¿Qué hace Laura el sábado y el domingo?	El sábado muy temprano va de compras con su tía. El domingo va a un partido de béisbol.
7.	¿Cuándo es la Navidad?	La Navidad es en diciembre.

2. *Charlando. Contesta las siguientes preguntas. Las respuestas no están incluidas.*

1. ¿Cuáles son tus actividades de fin de semana?
2. Cuando vas a ver a tus parientes, ¿qué haces?
3. ¿Qué día fue ayer?
4. ¿Escribes muchas cartas? ¿A quién le escribes?
5. ¿Tienes un hermano o una hermana mayor? ¿Menor?

8. *Invitaciones para el concierto.* Imagine you and a friend are in charge of the invitations for the holiday concert at your school and your friend is asking you when certain people will attend. Determine who is attending on Friday night and who is attending on Saturday night. Follow the model.

Modelo: ¿Tú? (el viernes y el sábado)
                  Vengo el viernes y el sábado.

1. ¿El padre de María Sánchez? (el sábado)   Viene el sábado.
2. ¿Rafael? (el sábado)   Viene el sábado.
3. ¿La señorita Ruiz y tu hermano? (el viernes)   Vienen el viernes.
4. ¿El primo de Rafael? (el sábado)   Viene el sábado.
5. ¿Mis padres? (el sábado)   Vienen el sábado.
6. ¿El padre y la madre de Guillermo? (el viernes)   Vienen el viernes.
7. ¿Yo? (el viernes y el sábado)   Vienes el viernes y el sábado.
8. ¿Tú y yo? (el viernes y el sábado)   Venimos el viernes y el sábado.

9. *¿Cómo vienen al concierto?* Tell how each of the guests will arrive for the concert.

Modelo: ¿Cómo vienen tus padres al concierto? (en su carro)
                  Mis padres vienen en su carro.

1. ¿Cómo viene el padre de María Sánchez?   Viene en su carro.
   (en su carro)
2. ¿Cómo vienen Rosita y tu hermano?   Vienen en el carro de mi madre.
   (en el carro de mi madre)
3. ¿Cómo viene Rafael? (a pie)   Viene a pie.
4. ¿Cómo viene el primo de Rafael? (en taxi)   Viene en taxi.
5. ¿Cómo vienen los padres de Guillermo   Vienen en metro.
   Fernández? (en metro)
6. ¿Cómo vengo yo? (en autobús)   Vienes en autobús.
7. ¿Cómo vienes tú? (en bicicleta)   Vengo en bicicleta.
8. ¿Cómo vienen mis padres? (en taxi)   Vienen en taxi.

¿Cuál es la fecha?

Escucha y repite.

lunes / martes / miércoles / jueves / viernes / sábado / domingo / el primero de diciembre / anteayer / ayer / hoy / mañana / pasado mañana /

Escucha y repite.

Hoy es miércoles. / Es el nueve / de diciembre. / Mañana es jueves / y pasado mañana / es viernes. / Ayer fue martes / y anteayer fue lunes. / El primero / de diciembre / fue el martes pasado. /

10. *¿Qué comprendiste? Contesta las siguientes preguntas.*

1. ¿Qué día es hoy? ¿Cuál es la fecha?

   Hoy es miércoles. Es el nueve de diciembre.

2. ¿Qué día fue ayer? ¿Y anteayer?

   Ayer fue martes. Anteayer fue lunes.

3. ¿Qué día de la semana fue el primero de diciembre? ¿Y el dos?

   El primero de diciembre fue el martes pasado. El dos fue el miércoles pasado.

4. ¿Cuándo es el diez? ¿Y el once?

   El diez es mañana. El once es pasado mañana.

Algo más

Para hablar de los días

Escucha y repite.

¿Qué día es hoy? / Hoy es viernes. / Ayer fue jueves. / Mañana es sábado. / Camino todos los días. / Los lunes tengo clases. / No voy el domingo. / Voy el domingo que viene. /

12. *¿Qué día es? Contesta las siguientes preguntas.*

   Modelo: ¿Qué día es hoy?
                   Hoy es martes.

1. Si hoy es martes, ¿qué día fue ayer?   Ayer fue lunes.
2. Si hoy es martes, ¿qué día fue anteayer?   Anteayer fue domingo.
3. Si hoy es martes, ¿qué día es mañana?   Mañana es miércoles.
4. Si hoy es martes, ¿qué día es pasado mañana?   Pasado mañana es jueves.
5. Si mañana es sábado, ¿qué día fue ayer?   Ayer fue jueves.
6. Si ayer fue jueves, ¿qué día es hoy?   Hoy es viernes.
7. Si hoy es sábado, ¿qué día es mañana?   Mañana es domingo.

Los meses del año

Escucha y repite.

enero / febrero / marzo / abril / mayo / junio / julio / agosto / septiembre / octubre / noviembre / diciembre /

13. *¿En qué mes?* Figure out in what month the following events take place. Try to guess the meaning of any words you do not know.

   Modelo: ¿En qué mes es el Día de Año Nuevo?
                   Es en enero.

1. ¿En qué mes es el Día de Acción de Gracias?   Es en noviembre.
2. ¿En qué meses son las vacaciones de verano?   Son en junio, julio y agosto.
3. ¿En qué mes es el Día de la Independencia de los Estados Unidos?   Es en julio.
4. ¿En qué mes es el Día de la Madre?   Es en mayo.

5.	¿En qué mes son las vacaciones de primavera en tu colegio?	Son en marzo o abril.
6.	¿En qué mes es Día de San Valentín?	Es en febrero.
7.	¿En qué mes es el cumpleaños de Martin Luther King, Jr.?	Es en enero.
8.	¿En qué mes es el Día de San Patricio?	Es en marzo.
9.	¿En qué mes es el Día de la Raza?	Es en octubre.
10.	¿En qué mes es el Día del Padre?	Es en junio.

¡A mí tampoco!

Escucha.

GLORIA:	¿Sabes que el viernes que viene es mi cumpleaños?
ISABEL:	¿De veras? ¡Feliz cumpleaños! ¿Cuántos años tienes ahora?
GLORIA:	Tengo quince años y voy a cumplir dieciséis el viernes cuatro de febrero.
ISABEL:	Eres muy joven. A veces los años pasan rápidamente.
GLORIA:	Sí. Pronto vamos a tener veinte años y vamos a ser viejas. No me gusta la idea ni un poquito.
ISABEL:	Ay, a mí tampoco.

Repite.

GLORIA:	¿Sabes que / el viernes que viene / es mi cumpleaños? /
ISABEL:	¿De veras? / ¡Feliz cumpleaños! / ¿Cuántos años tienes / ahora? /
GLORIA:	Tengo quince años / y voy a cumplir / dieciséis / el viernes / cuatro de febrero. /
ISABEL:	Eres muy joven. / A veces los años / pasan rápidamente. /
GLORIA:	Sí. / Pronto vamos a tener / veinte años / y vamos a ser viejas. / No me gusta la idea / ni un poquito. /
ISABEL:	Ay, a mí tampoco. /

15. *¿Qué comprendiste? Contesta las siguientes preguntas.*

1.	¿Cuántos años va a cumplir Gloria?	Va a cumplir dieciséis.
2.	¿Cuál es la fecha de su cumpleaños? ¿Qué día es?	Es el cuatro de febrero. Es el viernes.
3.	¿Es vieja Gloria?	No, ella es muy joven.
4.	¿Qué pasan rápidamente para Isabel?	A veces los años pasan rápidamente.
5.	¿Qué no les gusta ni un poquito a las dos chicas?	No les gusta ni un poquito la idea de tener veinte años.

16. *Charlando. Contesta las siguientes preguntas. Las respuestas no están incluidas.*

1. ¿Sabes en qué meses son los cumpleaños de tus amigos?
2. ¿Cuál es la fecha de tu cumpleaños?
3. ¿Cuántos años vas a cumplir?
4. Para ti, ¿pasan rápidamente los años? ¿Los veranos?
5. ¿Te gusta la idea de ser joven? Explica.
6. En tu opinión, ¿cuántos años tiene una persona vieja?

18. *¿Cuánto te gusta a ti?* Express how much you like or dislike the following situations, using gustar and any expressions you have learned. There will be no response given by the speaker.

Modelos: Hoy es mi cumpleaños.
                      ¡Qué bueno! Me gusta mucho.

                      Hoy es mi cumpleaños.
                      No me gusta ni un poquito.

1. El mes que viene es junio. ¡No hay clases!
2. Tengo una fiesta, pero mis amigos no vienen.
3. No tengo discos ni estéreo.
4. A veces celebro mi cumpleaños con mis primos.
5. Las horas de clase no pasan rápidamente.
6. Mi cumpleaños fue en septiembre.
7. Soy joven.
8. Un día vamos a ser viejos.

Los números del 101 al 999.999

Escucha y repite.

cien / ciento uno / ciento veintidós / doscientos / doscientos uno / trescientos / cuatrocientos / quinientos / seiscientos / setecientos / ochocientos / novecientos / mil / mil uno / mil novecientos noventa y nueve / dos mil / cien mil

Este es el fin de la Lección 10.

A LEER

Escucha.

Hacer un viaje a Costa Rica

SAFARIS COROBICI

Viajes por Costa Rica en Bote

Especializado en tours escénicos en el Río Corobicí para naturalistas y observadores de aves
Viajes en bote diarios—desde las 7 a.m. hasta las 4 p.m.
Viajes desde 2 horas hasta mediodía

Los viajes pueden ser arreglados para su comodidad—familias con niños o personas con requerimientos especiales. Hacemos grupos grandes (21 hasta 100 personas) o grupos pequeños (1 hasta 20 personas). Nuestros guías reman el bote y Uds. sólo disfrutan del río. Excepto por algunas pequeñas partes, este río no tiene aguas turbulentas. En el Río Corobicí, hay varias zonas para nadar. Este es un paraíso donde los turistas pueden observar muchas aves tropicales, monos con caras blancas, tres especies de iguanas y cocodrilos en las orillas del Río Corobicí. Uds. sólo necesitan traer un traje de baño, un sombrero, una cámara, unos binoculares y loción bronceadora para el sol.

A. *¿Qué comprendiste? Contesta las siguientes preguntas.*

1. ¿Para quiénes son interesantes los viajes en bote?

   Son para naturalistas y observadores de aves.

2. ¿Por cuánto tiempo es el viaje más corto?

   Es por dos horas.

3. ¿A qué hora son los viajes?

   Son desde las siete de la mañana hasta las cuatro de la tarde.

4. ¿De cuántas personas es un grupo grande?

   De 21 hasta 100 personas.

5. ¿Quiénes reman los botes?

   Los guías reman los botes.

6. ¿Qué necesitan traer los turistas?

   Necesitan traer un traje de baño, un sombrero, una cámara, unos binoculares y loción bronceadora.

B. *Charlando. Contesta las siguientes preguntas. Las respuestas no están incluidas.*

1. ¿Haces viajes en bote? ¿Dónde?
2. ¿Qué te gusta más, un viaje en agua turbulenta o en agua tranquila?
3. ¿Qué te gusta de los safaris Corobicí?

Este es el fin de la sección A leer del Capítulo 5.

CAPÍTULO 6
El hogar

LECCIÓN 11

En la cocina

Escucha y repite.

la luz / el vaso / la estufa / el refrigerador / el fregadero / el lavaplatos / la mesa / la lámpara / la cocina / el comedor / las servilletas

Escucha.

MARISOL:	Hola, mamá. ¿Qué haces?
SRA. VEGA:	Hago un almuerzo especial porque Uds. viajan mañana otra vez a ver a su primo en Colombia.
JORGE:	¡Qué bueno, mamá! Te queremos ayudar.
SRA. VEGA:	¿Sí? Pues, hay muchas cosas que tienen que hacer.
MARISOL:	¿Qué tenemos que hacer?
SRA. VEGA:	Para empezar, Marisol, debes cerrar la puerta del refrigerador y después encender las luces del comedor.
MARISOL:	De acuerdo, mamá. ¿Qué más quieres?
SRA. VEGA:	Pienso hacer más arepas porque no hay muchas.
MARISOL:	Muy bien, yo las hago. Y, Jorge, ¿por qué no ayudas a poner la mesa?
JORGE:	¿La pongo con estos platos y esas servilletas?
SRA. VEGA:	No, esos platos son de todos los días. Prefiero aquellos platos que están allá.
JORGE:	¡Ah, ya los veo!

Repite.

MARISOL:	Hola, mamá. / ¿Qué haces? /
SRA. VEGA:	Hago un almuerzo / especial / porque Uds. viajan / mañana otra vez / a ver a su primo / en Colombia. /
JORGE:	¡Qué bueno, mamá! / Te queremos ayudar. /
SRA. VEGA:	¿Sí? / Pues, hay muchas cosas / que tienen que hacer. /
MARISOL:	¿Qué tenemos que hacer? /
SRA. VEGA:	Para empezar, Marisol, / debes cerrar la puerta / del refrigerador / y después encender / las luces del comedor. /
MARISOL:	De acuerdo, mamá. / ¿Qué más quieres? /
SRA. VEGA:	Pienso hacer más arepas / porque no hay muchas. /
MARISOL:	Muy bien, yo las hago. / Y, Jorge, / ¿por qué no ayudas / a poner la mesa? /
JORGE:	¿La pongo con estos platos / y esas servilletas? /
SRA. VEGA:	No, esos platos son / de todos los días. / Prefiero aquellos platos / que están allá. /
JORGE:	¡Ah, ya los veo! /

1. *¿Qué comprendiste? Contesta las siguientes preguntas.*

1.	¿Dónde están la Sra. Vega, Jorge y Marisol?	Están en la cocina.
2.	¿Por qué hay un almuerzo especial?	Hay un almuerzo especial porque Marisol y Jorge viajan mañana otra vez a ver a su primo en Colombia.
3.	¿Quiénes van a ayudar a la Sra. Vega?	Marisol y Jorge van a ayudar a su mamá.
4.	Para empezar, ¿qué debe hacer Marisol? ¿Y después?	Debe cerrar la puerta del refrigerador y después encender las luces del comedor.
5.	¿Qué tiene que hacer Jorge?	Jorge tiene que ayudar a poner la mesa.
6.	¿Qué platos prefiere la Sra. Vega?	Prefiere aquellos platos que están allá en el comedor.

2. *Charlando. Contesta las siguientes preguntas. Las respuestas no están incluidas.*

1. ¿Ayudas mucho en la cocina?
2. ¿Qué cosas haces para ayudar en la cocina?
3. ¿Tiene tu familia platos para días especiales? Explica.
4. ¿Qué hay en la cocina de tu casa?

7. *¿Qué piensas?* **Create sentences to say what the following people are planning to do.**

Modelo: Marisol / buscar los platos de todos los días
Marisol piensa buscar los platos de todos los días.

1.	tú / ayudar en la cocina después de llamar a un amigo	Tú piensas ayudar en la cocina después de llamar a un amigo.
2.	las chicas / comer en el comedor	Las chicas piensan comer en el comedor.
3.	Jorge y Pepe / tener arepas para un almuerzo especial	Jorge y Pepe piensan tener arepas para un almuerzo especial.
4.	yo / viajar a Caracas otra vez	Yo pienso viajar a Caracas otra vez.
5.	mi amiga y yo / encender la luz de la cocina	Mi amiga y yo pensamos encender la luz de la cocina.

8. *Los padres son diferentes.* Marisol and Jorge realize how different their tastes are from those of their parents. Use the cues that follow to create sentences that compare and contrast how they differ from Sr. and Sra. Vega. Follow the model.

> Modelo: querer ir al cine / querer ver una película en casa
> Si nosotros queremos ir al cine, ellos quieren ver una película en casa....

1. tener que hacer la tarea / tener que ver televisión
   Si nosotros tenemos que hacer la tarea, ellos tienen que ver televisión.
2. empezar a oír música / empezar a leer
   Si nosotros empezamos a oír música, ellos empiezan a leer.
3. encender el estéreo / encender el tocadiscos viejo
   Si nosotros encendemos el estéreo, ellos encienden el tocadiscos viejo.
4. preferir salir a bailar / preferir salir a caminar
   Si nosotros preferimos salir a bailar, ellos prefieren salir a caminar.
5. querer comer en un restaurante / querer comer en casa otra vez
   Si nosotros queremos comer en un restaurante, ellos quieren comer en casa otra vez.
6. pensar viajar a otra ciudad / pensar ir a un museo
   Si nosotros pensamos viajar a otra ciudad, ellos piensan ir a un museo.
7. cerrar la puerta / abrir las ventanas
   Si nosotros cerramos la puerta, ellos abren las ventanas.

9. *¿En qué piensan?* Imagine you are planning a party and have asked several friends to help. Everyone will be responsible for different tasks. Answer questions about what your friends are thinking about as they prepare for the party, according to the cues.

> Modelo: ¿En qué piensa tu amiga Rosa? (los amigos que vienen a la fiesta)
> Piensa en los amigos que vienen a la fiesta.

1. ¿En qué piensan Marta y Carmen? (las servilletas)
   Piensan en las servilletas.
2. ¿En qué pensamos nosotros? (la mesa y las sillas)
   Pensamos en la mesa y las sillas.
3. ¿En qué piensan otros amigos que vienen a la fiesta? (los platos sucios)
   Piensan en los platos sucios.
4. ¿En qué piensa Jorge? (el lavaplatos)
   Piensa en el lavaplatos.
5. ¿En qué pienso yo? (la música)
   Piensas en la música.
6. ¿En qué piensa tu madre? (la comida)
   Piensa en la comida.

En el comedor

Escucha y repite.

la servilleta / el plato / el vaso / los cubiertos / la cuchara / el cuchillo / la cucharita / el tenedor / las arepas / el plato de sopa / la taza / la sal / el aceite / el azúcar / el pan / la pimienta / la mantequilla / el postre / el mantel /

Escucha.

MARISOL: Papá, pásame las arepas, por favor.
SR. VEGA: Cómo no. Aquí las tienes.
SRA. VEGA: Jorge, ¿cómo está la sopa? ¿Te gusta?

JORGE:	No sé, mamá. ¡No tengo cuchara! Mari, una cuchara, por favor.
SRA. VEGA:	Lo siento, Jorge. Yo tengo dos. Aquí está.

Repite.

MARISOL:	Papá, / pásame las arepas, / por favor. /
SR. VEGA:	Cómo no. / Aquí las tienes. /
SRA. VEGA:	Jorge, / ¿cómo está la sopa? / ¿Te gusta? /
JORGE:	No sé, mamá. / ¡No tengo cuchara! / Mari, una cuchara, / por favor. /
SRA. VEGA:	Lo siento, Jorge. / Yo tengo dos. / Aquí está. /

12. *¿Qué comprendiste? Contesta las siguientes preguntas.*

    1. ¿Qué quiere Marisol?   Quiere las arepas.

    2. ¿Le gusta a Jorge la sopa? ¿Por qué?   No sabe. Porque no tiene cuchara.

13. *¡Pásame el pan, por favor!* Ask your friend to pass the indicated item to you.

    Modelo: pan
                  Pásame el pan, por favor.

    1. azúcar   Pásame el azúcar, por favor.

    2. mantequilla   Pásame la mantequilla, por favor.

    3. pimienta   Pásame la pimienta, por favor.

    4. sal   Pásame la sal, por favor.

    5. postre   Pásame el postre, por favor

    6. sopa   Pásame la sopa, por favor.

20. *¿Cuánto quieres?* Imagine you and your mother are in the kitchen preparing a meal. Ask her questions based upon the information given.

    Modelos: sal / quieres
                   ¿Cuánta sal quieres?

                   agua / necesitamos
                   ¿Cuántos vasos de agua necesitamos?

    1. platos de sopa / necesitamos   ¿Cuántos platos de sopa necesitamos?

    2. cucharitas / necesitamos   ¿Cuántas cucharitas necesitamos?

    3. pan / quieres   ¿Cuánto pan quieres?

    4. azúcar para el postre / quieres   ¿Cuánto azúcar para el postre quieres?

    5. servilletas de papel / necesitamos ¿Cuántas servilletas de papel necesitamos?

    6. mantequilla / quieres   ¿Cuánta mantequilla quieres?

    7. aceite para la ensalada / necesitamos ¿Cuánto aceite para la ensalada necesitamos?

    8. pimienta / quieres   ¿Cuánta pimienta quieres?

23. *Ponemos la mesa.* Imagine you and a friend are preparing the table for dinner guests. Answer each of your friend's questions negatively. Follow the model.

> Modelo: ¿Quieres este plato?
> No, no quiero ese plato.

1.	¿Quieres este mantel amarillo?	No, no quiero ese mantel amarillo.
2.	¿Quieres estas cucharitas?	No, no quiero esas cucharitas.
3.	¿Quieres estas tazas?	No, no quiero esas tazas.
4.	¿Quieres estas servilletas azules?	No, no quiero esas servilletas azules.
5.	¿Quieres este vaso nuevo?	No, no quiero ese vaso nuevo.
6.	¿Quieres estos tenedores?	No, no quiero esos tenedores.
7.	¿Quieres esta silla?	No, no quiero esa silla.
8.	¿Quieres estos platos de postre?	No, no quiero esos platos de postre.

Este es el fin de la Lección 11.

LECCIÓN 12

Una carta de Jorge

Escucha.

Cartagena, 2 de junio

Queridos papás,

Estamos aquí en Cartagena desde el jueves. Esta ciudad es muy bonita e interesante, ¿saben? Cada día a Marisol le gusta más la idea de pasar el verano aquí, pero a mí me gustaría estar con Uds. en Caracas.

La casa del primo Martín es grande y cómoda. Voy a hacer un dibujo para Uds. Sus amigos son simpáticos y muy divertidos. El mes que viene, dicen que vamos a pasar siete u ocho días en Bucaramanga con la tía Bárbara y allá vamos a nadar en su piscina y aprender a montar a caballo. Marisol y yo tenemos ganas de ir.

Saben que a Marisol no le gusta escribir cartas. Entonces, el viernes que viene ella los quiere llamar por teléfono a las nueve de la noche.

Un abrazo de su hijo,

Jorge

1. *¿Qué comprendiste? Contesta las siguientes preguntas.*

1.	¿Dónde están Marisol y Jorge desde el jueves?	Desde el jueves están en Cartagena, Colombia.
2.	¿Cómo es la ciudad?	Es muy bonita e interesante.
3.	¿A quién escribe Jorge esta carta?	Escribe esta carta a sus padres.

4. ¿Cómo es la casa en Cartagena?   La casa es grande y cómoda.
5. ¿Cuánto tiempo piensan pasar en   Piensan pasar siete u ocho días allá.
   Bucaramanga?
6. ¿Qué van a hacer los muchachos allá?   Van a ver a la tía Bárbara, nadar en su
   piscina y aprender a montar a caballo.

2. *Charlando. Contesta las siguientes preguntas. Las respuestas no están incluidas.*

   1. ¿Te gusta estar lejos de tu casa? ¿Por qué?
   2. ¿Cómo es tu casa?
   3. ¿Qué te gustaría hacer cada verano?
   4. ¿Qué tienes ganas de hacer este fin de semana?
   5. ¿A quién llamas mucho por teléfono?

3. *¿Qué sabes de Colombia?* **Listen to the following statements about Colombia. There may be some words that you do not know. Then tell whether the statements are verdad or *falso*.**

   1. Colombia está en la América Central.   falso
   2. Hablan español en Colombia.   verdad
   3. Colombia no tiene costas en el Pacífico.   falso
   4. Cartagena es un símbolo del período colonial   verdad
      español.
   5. El clima es determinado por la elevación.   verdad
   6. Santa Fe de Bogotá es la capital del país.   verdad
   7. Colombia es famosa por el café, las   verdad
      esmeraldas y la música.

7. *¿Qué dicen?* **Tell what the people indicated are saying, according to the cues.**

   Modelo: Marisol / aló
                  Marisol dice "Aló".

   1. tú / hola   Dices "Hola".
   2. mi amigo / de nada   Dice "De nada".
   3. ellas / feliz cumpleaños   Dicen "Feliz cumpleaños".
   4. nosotros / cuatro   Decimos "Cuatro".
   5. yo / mucho gusto   Digo "Mucho gusto".
   6. Uds. / adiós   Dicen "Adiós".

8. *¿Reportando los resultados?* **Imagine you are reporting the results of a poll about whether students from your school would like to participate in an exchange program with a high school in Santa Fe de Bogotá, Colombia, that would require them to be away from home for the school year. Report your findings based upon the following information.**

   Modelo: Isabel / no
                  Isabel dice que no.

   1. Eva / sí   Eva dice que sí.
   2. Miguel y yo / sí   Miguel y yo decimos que sí.

3. la señora Barrera e Isabel / no   La señora Barrera e Isabel dicen que no.
4. Pedro y la señorita Alba / sí   Pedro y la señorita Alba dicen que sí.
5. Ud. / no   Ud. dice que no.
6. el señor Sánchez y Daniel / no   El señor Sánchez y Daniel dicen que no.

El dibujo de Jorge

Escucha.

Aquí tienes el dibujo de la casa donde vive el primo Martín. No tiene primer piso y, claro, no hay escalera. Todo está en la planta baja. Entramos en la casa por una puerta en el patio, donde hay una mesa, sillas y muchas plantas. El cuarto de Marisol está al lado de la cocina. Tiene unas ventanas pequeñas. Yo estoy en el cuarto de Martín que está al lado del cuarto de sus padres. Cuando Martín y yo estamos aburridos, vamos a la sala a ver televisión u oír música. A veces, nos gusta jugar en la computadora. Por las noches comemos en el comedor, pero los domingos comemos en el patio. Y claro, cada tarde a las cuatro vamos a la playa de Bocagrande.

11. *¿Qué comprendiste? Contesta las siguientes preguntas.*

    1. ¿De quién es la casa?   Es del primo Martín.
    2. ¿El cuarto de Jorge está en el primer piso?   No, está en la planta baja. No hay primer piso.
    3. ¿Qué hay en el patio?   Hay una mesa, sillas y muchas plantas en el patio.
    4. ¿Qué hacen Jorge y Martín cuando están aburridos?   Van a la sala a ver televisión u oír música.
    5. ¿Tiene una escalera la casa?   No, no tiene escalera.

12. *Charlando. Contesta las siguientes preguntas. Las respuestas no están incluidas.*

    1. ¿Cómo es la casa donde vives? ¿Hay una escalera? ¿Hay un patio?
    2. ¿Cuántos pisos tiene la casa?
    3. ¿Dónde está tu cuarto? ¿Es grande o pequeño?
    4. ¿Tienes plantas en tu casa? ¿Dónde?
    5. ¿Qué haces por las noches? ¿Comes? ¿Estudias? ¿Sales con amigos?

13. *¿Adónde necesitan ir en la casa?* Tell where in the house each of these people needs to go, based upon the following statements.

    Modelo: Estoy muy cansada.
    Necesitas ir a tu cuarto.

    1. Mi mamá tiene ganas de mirar fotos y oír la radio.   Necesita ir a la sala.
    2. Mi hermana viene de jugar al tenis.   Necesita ir al baño.
    3. Mis tíos están aquí para comer con nosotros.   Necesitan ir al comedor.
    4. Mi hermano está aburrido y va a ver televisión.   Necesita ir a la sala.
    5. Mi papá necesita el carro.   Necesita ir al garaje.
    6. Quiero un vaso de agua.   Necesitas ir a la cocina.

No quiero salir de casa

Escucha.

MARISOL: Jorge, ¿por qué no vas al parque a correr? Estás con tu música desde las ocho y quiero leer el periódico.

JORGE: La verdad es que no quiero salir de casa y no quiero correr. ¿Por qué no vas tú al patio?

MARISOL: Porque Martín está allí con unos amigos. Y, ¿por qué no pides prestado el carro al tío Paco y vas a la playa? ¡Es divertido!

JORGE: Marisol, lo voy a repetir por última vez: no quiero salir de casa.

MARISOL: Lo que quieres decir es que tú prefieres estar aquí en la sala donde estoy yo y oír tu música.

JORGE: No, eso es una mentira. Lo que yo digo es que si no te gusta mi música, tienes que ir a otro cuarto de la casa.

MARISOL: Pues, bien, voy a leer el periódico en mi cuarto.

Repite.

MARISOL: Jorge, / ¿por qué no vas al parque / a correr? / Estás con tu música / desde las ocho / y quiero leer / el periódico. /

JORGE: La verdad es que no quiero / salir de casa / y no quiero correr. / ¿Por qué no vas tú / al patio? /

MARISOL: Porque Martín está allí / con unos amigos. / Y, ¿por qué / no pides prestado / el carro al tío Paco / y vas a la playa? / ¡Es divertido! /

JORGE: Marisol, / lo voy a repetir / por última vez: / no quiero salir de casa. /

MARISOL: Lo que quieres decir / es que tú prefieres estar / aquí en la sala / donde estoy yo / y oír tu música. /

JORGE: No, / eso es una mentira. / Lo que yo digo / es que si no te gusta / mi música, / tienes que ir / a otro cuarto / de la casa. /

MARISOL: Pues, bien, voy a leer / el periódico / en mi cuarto. /

17. *¿Qué comprendiste? Contesta las siguientes preguntas.*

1.	¿Qué quiere hacer Marisol?	Quiere leer el periódico.
2.	¿Desde qué hora está Jorge con la música?	Está desde las ocho.
3.	¿Qué es la verdad para Jorge?	La verdad es que no quiere salir de casa y no quiere correr.
4.	¿Por qué no va Marisol al patio?	Porque Martín está allí con unos amigos.
5.	¿Por qué no pide prestado Jorge el carro al tío Paco?	Porque no quiere salir de casa.
6.	¿Qué repite Jorge por última vez?	Que no quiere salir de casa.
7.	¿Qué va a hacer Marisol?	Va a leer el periódico en su cuarto.

18. *Charlando. Contesta las siguientes preguntas. Las respuestas no están incluidas.*

1. ¿Te gusta pedir favores? Explica.
2. ¿Qué te gusta hacer cuando estás en casa?
3. ¿Sales a correr al parque? ¿A la playa?
4. ¿Siempre dices la verdad o a veces dices mentiras?

21. *¿Qué debes decir o hacer en las siguientes circunstancias?* Give an appropriate response for each circumstance.

1. No comprendes a tu mamá.   Hago una pregunta.
2. Quieres salir del cuarto.   Digo "con permiso".
3. Necesitas diez dólares para ir al cine.   Pido prestado el dinero.
4. Dices lo que no debes decir a tu papá.   Pido perdón.
5. Necesitas ayuda con la tarea.   Pido ayuda.

22. *En nuestra casa.... ¿Qué dices o haces en estas situaciones? Sigue el modelo.*

> **Modelo:**   Sales para ir al colegio y ves que no tienes dinero.
> Pido prestado dinero.

1. Repites lo que no es verdad.   Pido perdón.
2. Necesitas hacer una pregunta a tu abuelo o   Digo: "Perdón. Con permiso".
   abuela, pero está en su cuarto con la
   puerta cerrada.
3. Quieres ir a nadar en la piscina de tu primo   Pido permiso.
   o prima.
4. Vas al cine con tu hermana. Hay un grupo de   Primero digo: "Con permiso" y después
   personas en la puerta y no pueden pasar.   digo "Gracias".
5. No tienes un bolígrafo para escribir una carta   Pido prestado el bolígrafo de mi hermana.
   a tu amiga. Tu hermana tiene un bolígrafo.

¿Qué tienen?

Escucha y repite.

Tengo ganas de correr. / Tengo sueño. / Tengo miedo. / Tengo mucha sed. / Tengo mucho calor. / También tengo mucho calor. / Tengo frío. / Tengo prisa. / Tengo poca hambre. / Tengo mucha hambre. /

24. *¿Mucho o poco?* Answer the following questions. There will be no response given by the speaker.

> **Modelos:**   ¿Cuánto sueño tienes?
> Tengo mucho sueño.
>
> ¿Cuánto sueño tienes?
> Tengo poco sueño.

1. ¿Cuánto calor tienes?
2. ¿Cuánta hambre tienes?
3. ¿Cuánto miedo tienes?
4. ¿Cuánta prisa tienes?
5. ¿Cuánta sed tienes?
6. ¿Cuánto frío tienes?
7. ¿De qué tienes muchas ganas?
8. ¿De qué tienes pocas ganas?

Este es el fin de la Lección 12.

A LEER

Escucha.

La casa ideal de Jorge

Este dibujo es de mi casa ideal. Aquí está la sala, donde está el piano, y en este cuarto yo pienso ver televisión y escribir en la computadora. Pienso que este cuarto va a ser mi cuarto favorito. Al lado de la sala están mi cuarto y el cuarto de mis padres. Yo sé que mis padres prefieren tener un cuarto lejos de la sala, pero en mi casa ideal su cuarto está un poquito más cerca de la sala.

Entro a esta casa por la puerta principal o por la puerta del garaje. Camino por el patio hasta el comedor y al lado está la cocina. Mi madre piensa tener los platos en la cocina, pues a ella no le gusta tener los platos en el comedor. Aquí hay un cuarto grande donde tengo mi gimnasio y ese cuarto que ves al lado es un cuarto de baño.... Ah, y hay una piscina también. Es una casa grande y cómoda. Me gustan las casas cómodas y bonitas, con muchas ventanas.

A. *¿Qué comprendiste? Contesta las siguientes preguntas.*

1.	¿Dónde están el piano y la computadora?	Están en la sala.
2.	¿Qué cuarto piensa Jorge va a ser su favorito?	Piensa que la sala va a ser su cuarto favorito.
3.	¿Qué está al lado de la sala?	El cuarto de Jorge está al lado de la sala.
4.	¿Por dónde entra Jorge a su casa ideal?	Entra a su casa ideal por la puerta principal o por la puerta del garaje.
5.	¿Cómo va Jorge al comedor?	Va al comedor por el patio.
6.	¿Qué piensa tener en la cocina la madre de Jorge?	Piensa tener los platos en la cocina.
7.	¿Qué cuarto está al lado del gimnasio?	El baño está al lado del gimnasio.
8.	¿Cómo es la casa?	La casa es grande y cómoda.

B. *Charlando. Contesta las siguientes preguntas. Las respuestas no están incluidas.*

1. ¿Son diferentes la casa ideal de Jorge y tu casa? Explica.
2. ¿Vives ahora en tu casa ideal?
3. ¿Qué cuartos tiene tu casa ideal?
4. ¿Dónde te gustaría vivir? ¿Por qué?

Este es el fin de la sección A leer del Capítulo 6.

CAPÍTULO 7
Los pasatiempos

LECCIÓN 13

Quiero poner el televisor

Escucha.

MAMÁ: ¡Pepe...! ¿Cuánto tiempo hace que ves televisión? Ya es la hora de *Vidas nuevas*, mi telenovela favorita. Son casi las tres.

JOSÉ: No, todavía no. Tengo unos minutos. Son las tres menos nueve y los equipos de Argentina y Estados Unidos juegan un partido de fútbol....

MAMÁ: Cuando quiero poner el televisor para ver mi programa favorito, no puedo.

JOSÉ: Mamá, salgo a las cuatro después del partido y esta noche no voy a volver hasta las nueve. ¿No recuerdas que el mes que viene es mi cumpleaños? Los televisores no cuestan mucho dinero. Me puedes dar uno, ¿no? ¡Ja, ja, ja!

Repite.

MAMÁ: ¡Pepe...! / ¿Cuánto tiempo hace / que ves televisión? / Ya es la hora / de *Vidas nuevas*, / mi telenovela / favorita. / Son casi las tres. /

JOSÉ: No, todavía no. / Tengo unos minutos. / Son las tres menos nueve / y los equipos / de Argentina / y Estados Unidos / juegan un partido / de fútbol.... /

MAMÁ: Cuando quiero poner / el televisor / para ver mi programa / favorito, / no puedo. /

JOSÉ: Mamá, salgo a las cuatro / después del partido / y esta noche / no voy a volver / hasta las nueve. / ¿No recuerdas / que el mes que viene / es mi cumpleaños? / Los televisores / no cuestan mucho dinero. / Me puedes dar uno, ¿no? / ¡Ja, ja, ja! /

1. *¿Qué comprendiste? Contesta las siguientes preguntas.*

   1. ¿Cómo llama la madre a José?   Lo llama Pepe.
   2. ¿Qué programa ve José?   Ve un partido de fútbol en la televisión.
   3. ¿Qué equipos juegan en el partido de fútbol?   Los equipos de Argentina y Estados Unidos juegan el partido de fútbol.
   4. ¿Qué quiere ver la madre? ¿Cómo se llama el programa?   Quiere ver su telenovela. Se llama *Vidas nuevas*.
   5. ¿A qué hora empieza la telenovela?   Empieza a las tres, después del partido de fútbol.
   6. ¿Qué quiere José para su cumpleaños?   Quiere un televisor.

2. *Charlando. Contesta las siguientes preguntas. Las respuestas no están incluidas.*

   1. ¿Te gusta ver televisión?
   2. ¿Te gusta ver telenovelas? ¿Cuáles?
   3. ¿Cuántos programas de televisión ves en un día?
   4. ¿Cuántos televisores hay en tu casa? ¿Dónde están?
   5. ¿Qué vas a hacer esta noche?

5. *¿Puedes?* Refuse or accept each invitation to do various activities, giving an excuse if you refuse or changing the suggested time if you accept. There will be no response given by the speaker.

> **Modelos:** ¿Puedes jugar al fútbol hoy?
> Lo siento, pero no puedo. Tengo prisa. Son casi las nueve.
>
> ¿Puedes jugar al fútbol hoy?
> No puedo hoy, pero puedo jugar después de las clases mañana.

1. ¿Puedes venir a comer con nosotros a las 6:30?
2. ¿Puedes jugar al tenis el domingo?
3. ¿Puedes ir al cine pasado mañana?
4. ¿Puedes leer la carta de tu amigo más tarde?
5. ¿Puedes hablar por teléfono con mi prima el sábado?
6. ¿Puedes ver mis fotos de Argentina y Chile ahora?

Los pasatiempos

Escucha y repite.

jugar al ajedrez / jugar a las damas / jugar al básquetbol / jugar a las cartas / jugar al fútbol americano / jugar al volibol / jugar a las maquinitas / dibujar / hacer aeróbicos / leer el periódico /

6. *¿Quién juega?* Tell what the following people are doing, according to the cues.

> **Modelo:** Uds. / jugar a las cartas
> Uds. juegan a las cartas.

1. ellos / jugar a las damas	Ellos juegan a las damas.
2. esas chicas / jugar al volibol	Esas chicas juegan al volibol.
3. ella / hacer aeróbicos	Ella hace aeróbicos.
4. Inés y David / jugar al ajedrez	Inés y David juegan al ajedrez.
5. ella / jugar al básquetbol	Ella juega al básquetbol.
6. esos chicos / jugar al fútbol americano	Esos chicos juegan al fútbol americano.
7. tú / leer el periódico	Tú lees el periódico.
8. ese chico / jugar a las maquinitas	Ese chico juega a las maquinitas.
9. Julio / dibujar	Julio dibuja.

8. *¿A qué hora vuelven?* Tell in Spanish when these people will be returning from various places, according to the cues.

> **Modelo:** ¿A qué hora vuelve José del partido de fútbol americano? (las nueve y media)
> José vuelve a las nueve y media.

1. ¿A qué hora vuelve Catalina del cine? (las once)	Catalina vuelve a las once.
2. ¿A qué hora vuelven Ana y Pedro de la casa de sus amigos? (las cuatro y cuarto)	Ana y Pedro vuelven a las cuatro y cuarto.
3. ¿A qué hora vuelven Uds. de la piscina? (las doce y veinte)	Nosotros volvemos a las doce y veinte.

4. ¿A qué hora volvemos tú y yo de la tienda?
(la una y veinticinco)

Nosotros volvemos a la una y veinticinco.

5. ¿A qué hora vuelven ellas del concierto?
(las siete menos veinte)

Ellas vuelven a las siete menos veinte.

6. ¿A qué hora vuelves tú de la cafetería?
(las dos menos diez)

Yo vuelvo a las dos menos diez.

El tiempo libre

Escucha y repite.

mes / minuto / año / hora / segundo / siglo / cuarto de hora / día / semana / media hora /

10. *¿Qué comprendiste? Contesta las siguientes preguntas.*

1. ¿Cuántas horas hay en un día?
Hay veinticuatro horas en un día.

2. ¿Cuántos cuartos de hora hay en una hora?
Hay cuatro cuartos de hora en una hora.

3. ¿Cuántos segundos hay en un minuto?
Hay sesenta segundos en un minuto.

4. ¿Cuántas semanas hay en un año?
Hay cincuenta y dos semanas en un año.

5. ¿Cuántos años hay en un siglo?
Hay cien años en un siglo.

11. *Charlando. Contesta las siguientes preguntas. Las respuestas no están incluidas.*

1. ¿Por cuánto tiempo hablas español en la clase de español? ¿Y en un día? ¿Y en una semana?

2. ¿Por cuánto tiempo ves televisión en una semana? ¿Qué programas ves?

3. ¿Por cuánto tiempo juegas a los deportes en una semana? ¿Cuáles? ¿Con quién?

4. ¿Cuánto tiempo libre tienes en una semana? ¿Qué haces?

12. *¿Hace mucho tiempo?* **Tell how long the following activities have been taking place.**

Modelo: jugamos al volibol / un año
Hace un año que jugamos al volibol.

1. papá lee el periódico / media hora
Hace media hora que papá lee el periódico.

2. jugamos al ajedrez / treinta segundos
Hace treinta segundos que jugamos al ajedrez.

3. mi sobrina dibuja una casa / un cuarto de hora
Hace un cuarto de hora que mi sobrina dibuja una casa.

4. Uds. juegan a las maquinitas / veinte minutos
Hace veinte minutos que Uds. juegan a las maquinitas.

5. vivo aquí / quince años
Hace quince años que vivo aquí.

6. haces aeróbicos / una hora
Hace una hora que haces aeróbicos.

7. juegan al béisbol en los Estados Unidos / más de un siglo
Hace más de un siglo que juegan al béisbol en los Estados Unidos.

13. *¿Cuánto tiempo hace?* Answer the following questions. There will be no reponse given by the speaker.

        Modelos: ¿Juegas al básquetbol?
                        Sí, juego al básquetbol.

                        ¿Juegas al básquetbol?
                        No, no juego al básquetbol.

1. ¿Sabes jugar al ajedrez o a las damas?
2. ¿Cuánto tiempo hace que no juegas al ajedrez? ¿Y a las damas?
3. ¿Lees muchas revistas?
4. ¿Cuánto tiempo hace que no lees una revista?
5. ¿Sabes dibujar?
6. ¿Cuánto tiempo hace que no haces un dibujo? ¿Y un mapa?
7. ¿Te gusta ver televisión? ¿Te gustan las telenovelas?
8. ¿Cuánto tiempo hace que no ves una telenovela?
9. ¿Cuánto tiempo hace que no escribes una carta?
10. ¿Cuánto tiempo hace que estudias español?

15. *¿Qué haces tú? Contesta las siguientes preguntas en español.* There will be no response given by the speaker.

1. ¿Cuándo ves televisión?
2. ¿Cuándo juegas al béisbol?
3. ¿Cuántas veces a la semana tienes tarea?
4. ¿Cuántas veces al año juegas a las cartas?
5. ¿Cuántas veces al mes lees el periódico?
6. ¿Cuántas veces al año juegas a las damas?
7. ¿Cuándo dibujas?
8. ¿Cuándo recuerdas el cumpleaños de tu madre o tu padre?

Alquilamos una película

Escucha.

PILAR:	José, ¿estás durmiendo?
JOSÉ:	No, estoy viendo el partido de fútbol de mis equipos favoritos, Boca e Independiente. ¿Por qué?
PILAR:	Porque quiero ir a alquilar una película. ¿Quieres venir?
JOSÉ:	¿Ahora mismo? ¿Me permites unos minutos? Este partido termina pronto y podemos ir después.
PILAR:	De acuerdo. Antes de salir, debes apagar el televisor. El control remoto está sobre la mesa.
JOSÉ:	Sí, claro.
PILAR:	Aquí tengo una lista de las películas nuevas. La voy a poner en mi mochila. No quiero ver las mismas películas del mes pasado.
JOSÉ:	Muy bien. ¡Qué estupendo partido!

Repite.

PILAR: José, ¿estás durmiendo? /

JOSÉ: No, estoy viendo / el partido de fútbol / de mis equipos / favoritos, / el Boca / y el Independiente. / ¿Por qué? /

PILAR: Porque quiero ir / a alquilar / una película. / ¿Quieres venir? /

JOSÉ: ¿Ahora mismo? / ¿Me permites / unos minutos? / Este partido / termina pronto / y podemos ir después. /

PILAR: De acuerdo. / Antes de salir, / debes apagar / el televisor. / El control remoto / está sobre la mesa. /

JOSÉ: Sí, claro. /

PILAR: Aquí tengo una lista / de las películas / nuevas. / La voy a poner / en mi mochila. / No quiero ver / las mismas películas / del mes pasado. /

JOSÉ: Muy bien. / ¡Qué estupendo partido! /

17. *¿Qué comprendiste? Contesta las siguientes preguntas.*

1. ¿Está José durmiendo?

   No, no está durmiendo. José está viendo el partido de fútbol de Boca e Independiente.

2. ¿Qué quiere Pilar?

   Quiere ir a alquilar una película.

3. ¿Puede José ir ahora mismo? ¿Por qué?

   No, no puede ir ahora mismo. Porque el partido termina en unos minutos.

4. ¿Qué debe hacer José antes de salir?

   Antes de salir, José debe apagar el televisor.

5. ¿Quién tiene una lista de las películas nuevas? ¿Por qué la tiene?

   Pilar tiene una. Tiene la lista porque no quiere ver las mismas películas del mes pasado.

6. ¿Dónde la va a poner?

   La va a poner en la mochila.

18. *Charlando. Contesta las siguientes preguntas. Las respuestas no están incluidas.*

1. ¿Ves televisión cuando vas a dormir?
2. ¿Tus padres te permiten alquilar películas de video?
3. ¿Dónde alquilas tú películas de video?
4. ¿Cuántas veces a la semana alquilas una película de video?
5. ¿Alquilas películas musicales? Explica.
6. ¿Alquilas la misma película más de una vez?

19. *¿Qué están haciendo ahora?* Tell what the following people are doing right now, using the presente progresivo and the provided cues.

   Modelo: nosotros / ver un partido
   Nosotros estamos viendo un partido ahora.

1. Luis / alquilar una película estupenda de Argentina

   Luis está alquilando una película estupenda de Argentina ahora.

2. mi padre y mi madre / salir de casa

   Mi padre y mi madre están saliendo de casa ahora.

3. Lucila / poner el televisor

   Lucila está poniendo el televisor ahora.

4. Uds. / apagar la luz de la cocina

   Uds. están apagando la luz de la cocina ahora.

5. mi hermano / buscar el control remoto

   Mi hermano está buscando el control remoto.

6. tú / pensar en tus pasatiempos

   Tú estás pensando en tus pasatiempos ahora.

20. *Pasando el tiempo en un café.* Imagine you are passing time at an outdoor café in Buenos Aires. Describe what you see from your table, using the *presente progresivo*.

> **Modelo:** el chico / mirar a sus padres
> El chico está mirando a sus padres.

1. un señor / poner una mesa — Un señor está poniendo una mesa.
2. los dos chicos / no / hablar — Los dos chicos no están hablando.
3. una chica / escribir una carta — Una chica está escribiendo una carta.
4. la otra chica / dibujar — La otra chica está dibujando.
5. un muchacho / hablar por teléfono — Un muchacho está hablando por teléfono.
6. unos hombres / jugar al ajedrez — Unos hombres están jugando al ajedrez.
7. un padre y una madre / comer con sus hijos — Un padre y una madre están comiendo con sus hijos.
8. tú / salir — Tú estás saliendo.

Este es el fin de la Lección 13.

LECCIÓN 14

¿Cómo son las estaciones en Chile?

Escucha.

Me gusta ir a Viña del Mar en la primavera, en octubre o noviembre, porque puedo salir a patinar o a dar un paseo por la playa. También me gusta mucho montar en bicicleta y casi siempre soy la primera de las muchachas cuando hay competencias. Es mi estación favorita y hay muchas flores por todos lados.

En el verano, a mi familia le gusta ir a Arica para nadar porque allí casi nunca llueve. Siempre hace sol. Voy casi todos los años en febrero al Festival Internacional de la Canción en Viña del Mar. Si no puedo ir, pongo el televisor y lo veo en la sala de mi casa.

El otoño es mi estación favorita porque en mayo no hace mucho calor. En cambio mis padres prefieren la primavera, cuando tampoco hace mucho calor. En el otoño mi hermano y yo podemos jugar al fútbol y al tenis, pero también tenemos otros pasatiempos.

Esquiar es mi deporte favorito. En el invierno siempre puedo ir a esquiar o a patinar sobre hielo. Bueno, casi siempre. A veces hace frío o nieva mucho. Mi familia y yo vivimos en Santiago, la capital. Los fines de semana nos gusta ir a Farellones. Este lugar está a una hora más o menos de la capital. En agosto vamos a Portillo, que está más lejos. ¡Es un lugar excelente para esquiar!

1. *¿Qué comprendiste? Contesta las siguientes preguntas.*

1. ¿En qué estación están en octubre y noviembre en Chile? — Están en la primavera.
2. ¿Por dónde le gusta a la chica dar un paseo en la primavera? — Le gusta dar un paseo por la playa en Viña del Mar.
3. ¿En qué estación están en mayo en Chile? — Están en el otoño.

4. ¿Cómo es Chile en mayo?   No hace mucho calor.
5. ¿En qué estación del año nieva?   Nieva en el invierno.
6. ¿Qué le gusta hacer a la chica en   Le gusta esquiar y patinar sobre hielo.
   el invierno?
7. ¿Qué lugar es excelente para esquiar?   Portillo es un lugar excelente para
                                                 esquiar.

2. *Charlando. Contesta las siguientes preguntas. Las respuestas no están incluidas.*

1. ¿Cuál es tu estación favorita? ¿Por qué?
2. ¿Hace frío o calor en tu ciudad? Explica.
3. ¿Te gusta hacer un deporte? ¿Cuál? ¿Cuándo?
4. ¿Te gusta esquiar o patinar en el invierno? ¿Dónde?
5. ¿Te gustaría dar un paseo? ¿Adónde?

3. *Chile.* **Answer the following questions about Chile. There may be some words that you do not know.**

1. ¿Dónde está Chile?   Chile está en la America del sur, al lado del
                                                 Péru, Bolivia, Argentina y el océano Pacífico.
2. ¿Cuál es la capital de Chile?   La capital de Chile es Santiago.
3. ¿Cuáles islas son de Chile?   Las Islas de Juan Fernández y la Isla de
                                                 Pascua son de Chile.
4. ¿Cuál es la ciudad que está más al sur   Punta Arenas es la ciudad que está más al sur.
   en Chile?
5. ¿Cómo se llaman los dos poetas chilenos   Los poetas se llaman Gabriela Mistral y
   que tienen premios Nobel?   Pablo Neruda.
6. ¿Qué tipo de edificios hay en la capital?   Hay rascacielos en la capital.
7. ¿Adónde puede ir uno a esquiar en Chile?   Uno puede ir a Portillo o a Farellones
                                                 para esquiar.

Una carta electrónica

Escucha.

ELENA:	Carmen, ¿qué haces?
CARMEN:	Escribo una carta por correo electrónico que quiero enviar a Chile.
ELENA:	¿Todavía continúas con esa carta para Ricardo?
CARMEN:	Voy a copiar su dirección en mi cuaderno y estoy lista.
ELENA:	De acuerdo. Vamos.
CARMEN:	Estoy apagando la computadora ahora mismo.

Repite.

ELENA:	Carmen, ¿qué haces? /
CARMEN:	Escribo una carta / por correo electrónico / que quiero enviar / a Chile. /
ELENA:	¿Todavía continúas / con esa carta / para Ricardo? /
CARMEN:	Voy a copiar / su dirección / en mi cuaderno / y estoy lista. /
ELENA:	De acuerdo. / Vamos. /
CARMEN:	Estoy apagando / la computadora / ahora mismo. /

6. *Amigos por correspondencia. Contesta las siguientes preguntas en español.*

1. ¿Qué envía Carmen a Ricardo?   Envía una carta por correo electrónico para Ricardo.

2. ¿Adónde va a enviar la carta?   Va a enviar la carta a Chile.

3. ¿Qué tiene que hacer Carmen para estar lista y salir?   Para estar lista tiene que copiar la dirección en su cuaderno.

¿Qué tiempo hace?

Escucha y repite.

¿Qué temperatura hace? / Hace 15 grados. / Hace fresco. / Estamos en otoño. / Hay neblina. /

Hace viento. /

No está soleado. / Está nublado. / Llueve. / Hace mal tiempo. / Va a llover. / la lluvia /

la temperatura máxima / la temperatura mínima /

Ahora nieva. / No hace calor. / Hace frío. / ¿Va a nevar? / la nieve /

Hace sol. / Hace buen tiempo. /

8. *¿Qué comprendiste? Contesta las siguientes preguntas.*

1. ¿En qué estación hace frío?
2. ¿En qué mes llueve mucho?
3. ¿Cuándo hace mucho calor?
4. Cuando va a llover, ¿cómo está?
5. ¿Qué tiempo hace en primavera? ¿Y en verano? ¿Y en otoño? ¿Y en invierno?
6. ¿En qué meses hace frío en Chile?
7. ¿Qué deportes juegan en la primavera donde tú vives ? ¿Y en el verano? ¿Y en el otoño? ¿Y en el invierno?

12. *Comparaciones: ¿primavera en octubre?* Imagine you are communicating with a key pal through e-mail in South America. How might the weather be different? After your key pal states what the weather is like where he is, say the weather is the opposite where you are.

    Modelo: Aquí hace sol
                    En cambio, aquí llueve.

1. Aquí hace frío.   En cambio, aquí hace calor.
2. Aquí hace buen tiempo.   En cambio, aquí hace mal tiempo.
3. Aquí está soleado.   En cambio, aquí está nublado.
4. Aquí hace calor.   En cambio, aquí hace frío.
5. Aquí nieva.   En cambio, aquí hace sol.
6. Aquí hace fresco.   En cambio, aquí hace calor.
7. Aquí hay flores en julio.   En cambio, aquí hay nieve en julio.

15. *¿Qué deportes haces?* Name which sports you would prefer to do, according to the indicated weather conditions.

> Modelo: Hay mucha nieve.
> Patino sobre hielo en el parque.

1. Hace mucho viento.
2. Está soleado.
3. Está nublado.
4. Hace un poco de frío.
5. Hace buen tiempo.
6. Está lloviendo todo el día.
7. Hace fresco.
8. Hace un poco de calor.
9. No está nevando, pero va a nevar.

17. *¿Cómo está el tiempo?* Guess when and in what kind of weather the following events might be occurring. Be creative!

> Modelo: Estamos jugando al básquetbol en el parque.
> Es sábado y no hace mucho calor.

1. Estoy jugando al tenis.
2. Nosotras esquiamos muy bien.
3. Alicia nada en la piscina.
4. Gerardo está listo para jugar al béisbol.
5. Eva está corriendo en el parque.
6. Tú estás jugando al fútbol.
7. Estoy patinando con Tara Lipinski.
8. Mis hermanas tienen práctica de básquetbol.

Este es el fin de la Lección 14.

A LEER

Escucha.

Los deportes más populares

En el mundo hispano los deportes son importantes y son muy populares. El deporte más popular para la gente hispana es el fútbol. Todas las semanas cientos de miles de personas van a los estadios de fútbol en España y en la América Latina para ver los partidos. La Copa Mundial de fútbol es el evento más importante en este deporte y es comparable con el Super Bowl o la Serie Mundial de béisbol en los Estados Unidos. Sin embargo, la Copa Mundial se realiza una vez cada cuatro años y países de todo el mundo participan en este gran espectáculo del deporte.

Otro deporte muy popular en los países de la región del Caribe es el béisbol, especialmente en Cuba, la República Dominicana y Puerto Rico. También es muy popular en México. Muchos jugadores de estos países juegan también en los Estados Unidos. Algunos de los jugadores más famosos de todos los tiempos son hispanos, como Pedro Martínez y Sammy Sosa (de la República Dominicana) y Roberto Clemente (de Puerto Rico).

Otros deportes muy populares en el Caribe, México, la América Central y la América del Sur son el boxeo, llamado también el deporte de las narices chatas, el frontón, el jai-alai y el ciclismo. Estos dos últimos también son muy populares en España, junto con el básquetbol (también llamado baloncesto).

Estos son los deportes más populares del mundo hispano, pero muchos otros son practicados también. Para la gente hispana, como para el mundo entero, practicar deportes es un buen pasatiempo porque representa la buena salud y vida activa.

A. *¿Qué comprendiste? Contesta las siguientes preguntas.*

1.	¿Cómo son los deportes en el mundo hispano?	Los deportes en el mundo hispano son importantes y populares.
2.	¿Qué deporte ven millones de personas cada semana en los estadios?	Están viendo los partidos de fútbol.
3.	¿Cuál es el evento más importante en el fútbol?	El evento más importante es la Copa Mundial de fútbol.
4.	¿Qué deporte es muy popular en la región del Caribe?	El béisbol es muy popular en la región del Caribe.
5.	¿Qué otros deportes son populares en el mundo hispano?	Otros deportes populares son el boxeo, el frontón, el ciclismo, el básquetbol y el jai-alai.

B. *Charlando. Contesta las siguientes preguntas. Las respuestas no están incluidas.*

1. ¿Juegas a uno de estos deportes? ¿A cuál? ¿Dónde? ¿Con quién?
2. ¿Cuál es tu deporte favorito?
3. ¿Cuánto tiempo hace que juegas ese deporte?
4. ¿Sabes algo de los deportes en el mundo hispano? ¿Qué sabes?
5. ¿Ves muchos deportes en la televisión? ¿Cuáles?

Este es el fin de la sección A leer del Capítulo 7.

CAPÍTULO 8
¿Qué haces en casa?

LECCIÓN 15

Preparando una fiesta

Escucha.

El club de ecología de un colegio en Madrid va a hacer algo especial: va a dar una pequeña fiesta. Unas personas del club van a preparar una paella. Todos llegan temprano a la casa de Paula para adornar y arreglar la casa.

PAULA: Para dar la fiesta en mi casa, primero tenemos que arreglar la casa. Quizás debemos empezar limpiando el piso de la cocina.

ANA: Bueno, entonces debemos hacer una lista de quehaceres.

| JAVIER: | Está bien, pero vamos a trabajar juntos en cada trabajo, ¿no? Es más divertido. |
| PAULA: | De acuerdo. Pero sólo tenemos cuatro horas para terminar los quehaceres. ¡Vamos! |

Repite.

PAULA:	Para dar la fiesta / en mi casa, / primero tenemos que / arreglar la casa. / Quizás debemos empezar / limpiando el piso / de la cocina. /
ANA:	Bueno, entonces / debemos hacer / una lista / de quehaceres. /
JAVIER:	Está bien, / pero vamos / a trabajar juntos / en cada trabajo, ¿no? / Es más divertido. /
PAULA:	De acuerdo. / Pero sólo tenemos / cuatro horas / para terminar / los quehaceres. / ¡Vamos! /

1. ¿Qué comprendiste? Contesta las siguientes preguntas.

1.	¿Qué va a hacer el club de ecología?	Va a hacer algo especial. Va a dar una pequeña fiesta.
2.	¿En casa de quién va a ser la fiesta?	Va a ser en casa de Paula.
3.	¿Por qué llegan todos temprano a la casa de Paula?	Llegan temprano para adornar y arreglar la casa.
4.	¿Qué van a preparar?	Van a preparar una paella.
5.	¿Qué deben hacer primero? ¿Y después?	Deben empezar limpiando el piso de la cocina. Después deben hacer una lista de quehaceres.
6.	¿Qué dice Javier del trabajo?	Dice que deben trabajar juntos en cada trabajo porque es más divertido.
7.	¿Cuánto tiempo tienen para terminar?	Sólo tienen cuatro horas para terminar.

2. La paella. Contesta en español las siguientes preguntas con oraciones completas.

1.	¿Cuál es el ingrediente principal de la paella?	El ingrediente principal de la paella es el arroz.
2.	¿Dónde tiene su origen la paella?	La paella tiene su origen en Valencia.
3.	¿Qué otros ingredientes hay en la paella?	Hay una combinación de carne, pollo, mariscos y verduras.
4.	¿Cuáles son dos ingredientes en la paella valenciana?	Dos ingredientes de la paella valenciana son el pollo y varios tipos de carne.
5.	¿Qué tiene la paella marinera?	La paella marinera tiene langostas, camarones o almejas.
6.	¿Es la paella una comida sólo para los domingos?	No, la paella es una comida para las fiestas y para todos los días.

Arreglando la casa

Escucha.

PAULA:	Mi cuarto es un desastre. Yo tengo que subir y colgar la ropa y hacer la cama. Toda la gente puede subir sus abrigos a mi cuarto y dejarlos allí
ANA:	Traigo una olla grande de mi mamá para preparar la paella. Oye, yo acabo de leer la receta. ¿Quién va a cocinar?
JAVIER:	¡Yo! Bueno, si Paula me ayuda y tú me prestas la receta.

ANA:	¡Claro! Puedes usarla.
ROSA:	Y tú, Miguel, ¿qué vas a hacer?
MIGUEL:	¿Qué dices? No te oigo.
ROSA:	Claro, con esa música no me puedes oír. Te pregunto ¿qué puedes hacer para ayudar?
MIGUEL:	¿Yo? Este..., por ejemplo puedo sacar la basura.
ROSA:	¡Qué listo eres! Entonces tú y yo vamos al supermercado.

Repite.

PAULA:	Mi cuarto es un desastre. / Yo tengo que subir / y colgar la ropa / y hacer la cama. / Toda la gente / puede subir sus abrigos / a mi cuarto / y dejarlos allí. /
ANA:	Traigo una olla grande / de mi mamá / para preparar / la paella. / Oye, yo acabo / de leer la receta. / ¿Quién va a cocinar? /
JAVIER:	¡Yo! / Bueno, / si Paula me ayuda / y tú me prestas / la receta. /
ANA:	¡Claro! / Puedes usarla. /
ROSA:	Y tú, Miguel, / ¿qué vas a hacer? /
MIGUEL:	¿Qué dices? / No te oigo. /
ROSA:	Claro, con esa música / no me puedes oír. / Te pregunto / ¿qué puedes hacer / para ayudar? /
MIGUEL:	¿Yo? / Este..., por ejemplo / puedo sacar / la basura. /
ROSA:	¡Qué listo eres! / Entonces tú y yo / vamos al supermercado. /

3. *¿Qué comprendiste? Contesta las siguientes preguntas.*

1.	¿Qué dice Paula de su cuarto?	Dice que es un desastre.
2.	¿Qué tiene que hacer ella?	Tiene que subir a su cuarto para colgar la ropa y hacer la cama.
3.	¿Qué puede hacer la gente con sus abrigos?	La gente puede subir sus abrigos y dejarlos en el cuarto de Paula.
4.	¿Quién lee la receta para la paella?	Ana lee la receta para la paella.
5.	¿A quién le presta Ana la receta?	Ana le presta la receta a Javier.
6.	¿Quién es muy listo pero perezoso? Explica.	Miguel es muy listo pero perezoso porque sólo quiere sacar la basura.
7.	¿Quiénes van a ir al supermercado?	Rosa y Miguel van a ir al supermercado.

4. *Charlando. Contesta las siguientes preguntas. Las respuestas no están incluidas.*

1. ¿Es tu cuarto un desastre? Explica.
2. ¿Cuántas personas ayudan con los quehaceres en tu casa? ¿Quiénes?
3. ¿Hacen Uds. muchos quehaceres juntos? ¿Cuáles?

6. *Tus quehaceres. Contesta las siguientes preguntas con los pronombres de complemento apropiados. Las respuestas no están incluidas.*

Modelos: ¿Arreglas la casa?
Sí, la arreglo.

¿Arreglas la casa?
No, no la arreglo.

1. ¿Haces la cama?
2. ¿Pones la mesa?

3. ¿Preparas la comida?
4. ¿Limpias la cocina los fines de semana?
5. ¿Cuelgas el abrigo?
6. ¿Sacas la basura?

8. *Preparando una fiesta.* Imagine that you and a friend are organizing preparations for a party at your house. Your friend would like to know if everyone is participating. Answer what the following people have just done, according to the cues.

> **Modelo:** ¿Qué acaban de hacer Uds.? (preparar la comida)
> Acabamos de preparar la comida.

1. ¿Qué acaba de hacer Eva? (llegar)   Acaba de llegar.
2. ¿Qué acaban de hacer José y Mónica?   Acaban de colgar la ropa.
   (colgar la ropa)
3. ¿Qué acaba de hacer Blanca? (limpiar   Acaba de limpiar las ventanas.
   las ventanas)
4. ¿Qué acabas de hacer tú?   Acabo de sacar la basura.
   (sacar la basura)
5. ¿Qué acaba de hacer Gloria?   Acaba de poner la mesa.
   (poner la mesa)
6. ¿Qué acaba de hacer Pablo?   Acaba de trabajar con Gloria.
   (trabajar con Gloria)
7. ¿Qué acabamos de hacer nosotros?   Acaban de arreglar la sala.
   (arreglar la sala)
8. ¿Qué acabo de hacer yo? (leer la lista   Acabas de leer la lista de quehaceres.
   de quehaceres)

9. *Ayudando en casa.* Restate the following sentences by moving the indicated words and by making any other needed changes.

> **Modelo:** ¿Me estás recogiendo la mesa? (me)
> ¿Estás recogiéndome la mesa?

1. ¿No nos puede Ud. adornar el cuarto?   ¿No puede Ud. adornarnos el cuarto?
   (nos)
2. Quizás te debo escribir una lista de   Quizás debo escribirte una lista de quehaceres.
   quehaceres. (te)
3. ¿Cuándo me puedes limpiar el piso? (me)   ¿Cuándo puedes limpiarme el piso?
4. Les estamos colgando la ropa. (les)   Estamos colgándoles la ropa.
5. Él nunca le puede arreglar la casa a ella. Él nunca puede arreglarle la casa a ella.
   (le)
6. ¿No me quieres comprar una olla   ¿No quieres comprarme una olla grande
   grande para preparar paella? (me)   para preparar paella?
7. Quizás Carlos te puede prestar la   Quizás Carlos puede prestarte la olla para
   olla parala paella. (te)   la paella.

11. *Unos amigos quieren ayudarte. Varias personas están ayudándote a preparar una fiesta en tu casa. Describe qué te están haciendo.*

Modelo: María / colgar la ropa
           María me está colgando la ropa.

1. Isabel y Pedro / poner la mesa   Isabel y Pedro me están poniendo la mesa.
2. Carlos / arreglar la casa   Carlos me está arreglando la casa.
3. Elisa / limpiar las ventanas   Elisa me está limpiando las ventanas.
4. Juan y Ricardo / sacar la basura   Juan y Ricardo me están sacando la basura.
5. Antonio y Paloma / cocinar   Antonio y Paloma me están cocinando.

Los quehaceres

Escucha y repite.

poner las cosas en su lugar / barrer / pasar la aspiradora / poner la mesa / recoger la mesa / arreglar el cuarto / limpiar / colgar la ropa / lavar / ir a buscar leche / cocinar / dar de comer / sacar la basura / dirigir el trabajo /

12. *Charlando. Contesta las siguientes preguntas. Las respuestas no están incluidas.*

1. ¿Haces algo para ayudar con los quehaceres de tu casa? Explica.
2. ¿Haces la cama todos los días? Explica.
3. ¿Siempre cuelgas la ropa o la dejas en el piso?
4. ¿Quién lava tu ropa? ¿La lavas tú?
5. ¿Quién va al supermercado a buscar leche y pan en tu casa?
6. ¿Cuántas veces a la semana recoges la mesa en tu casa?
7. ¿Quién dirige los quehaceres en tu casa?

13. *¿Qué debo hacer? Indica cuáles son los quehaceres que debes hacer.*

Modelo: lavar los platos
           Debo lavar los platos.

1. barrer el patio   Debo barrer el patio.
2. colgar la ropa   Debo colgar la ropa.
3. dar de comer al perro   Debo dar de comer al perro.
4. dirigir el trabajo   Debo dirigir el trabajo.
5. pasar la aspiradora   Debo pasar la aspiradora.
6. lavar la ropa   Debo lavar la ropa.
7. preparar la comida   Debo preparar la comida.
8. recoger la mesa   Debo recoger la mesa.

16. *¿Me ayudas, por favor?* Your friend is asking you for help with the indicated chores. Respond by agreeing or refusing to help. There will be no response given by the speaker.

>   Modelos:　　¿Me haces la cama?
>   　　　　　　Sí, te hago la cama.
>
>   　　　　　　¿Me haces la cama?
>   　　　　　　No, no te hago la cama.

1. ¿Me subes la ropa a mi cuarto?
2. ¿Me pasas la aspiradora por la sala?
3. ¿Me recoges la mesa?
4. ¿Me limpias las ventanas de mi cuarto?
5. ¿Me lavas el mantel?
6. ¿Me barres el patio?
7. ¿Me pones los cubiertos en la mesa?
8. ¿Me prestas la olla para la paella?

18. *¿Qué traen a la fiesta? Contesta qué trae todo el mundo a la fiesta del club de ecología.*

>   Modelo:　　¿Qué trae Julio? (los discos compactos)
>   　　　　　Julio trae los discos compactos.

1. ¿Qué trae Ana? (la olla con la paella) — Ana trae la olla con la paella.
2. ¿Qué traen Fernando y Tomás? (las flores) — Fernando y Tomás traen las flores.
3. ¿Qué traen Uds.? (el mantel) — Nosotros traemos el mantel.
4. ¿Qué trae Raúl? (los platos y los vasos) — Raúl trae los platos y los vasos.
5. ¿Qué traen Carmen y Nora? (los refrescos) — Carmen y Nora traen los refrescos.
6. ¿Qué trae Nicolás? (el postre) — Nicolás trae el postre.
7. ¿Qué trae la profesora? (las cucharitas y los tenedores) — La profesora trae las cucharitas y los tenedores.
8. ¿Qué traigo yo? (las servilletas de papel) — Tú traes las servilletas de papel.

Después de la fiesta

Escucha.

PAULA:　　¡Qué fiesta!
ANA:　　　Sí. Fue una fiesta fantástica.
JAVIER:　　¡Claro! Trabajamos mucho preparándola.
ANA:　　　Y a todos les gustó mucho la paella que preparasteis.

Repite.

PAULA:　　¡Qué fiesta! /
ANA:　　　Sí. / Fue una fiesta / fantástica. /
JAVIER:　　¡Claro! / Trabajamos mucho / preparándola. /
ANA:　　　Y a todos / les gustó mucho / la paella / que preparasteis. /

20. *¿Yo?* Say that you did not do the indicated tasks because someone else already did them. Follow the model.

> **Modelo:**   ¿Compraste la leche? (Diego)
> No, yo no compré la leche porque Diego ya la compró.

1. ¿Colgaste los abrigos? (Felipe)

   No, yo, no colgué los abrigos porque Felipe ya los colgó.

2. ¿Preparaste la comida? (Javier y Paula)

   No, yo, no preparé la comida porque Javier y Paula ya la prepararon.

3. ¿Lavaste la olla grande? (Ana)

   No, yo, no lavé la olla grande porque Ana ya la lavó.

4. ¿Buscaste los platos? (Alicia)

   No, yo, no busqúe los platos porque Alicia ya los buscó.

5. ¿Limpiaste el piso de la cocina? (Rosa y Miguel)

   No, yo, no limpié el piso de la cocina porque Rosa y Miguel ya lo limpiaron.

6. ¿Apagaste la estufa? (Julio)

   No, yo, no apagué la estufa porque Julio ya la apagó.

7. ¿Sacaste la basura? (Roberto)

   No, yo, no saqué la basura porque Roberto ya la sacó.

Este es el fin de la Lección 15.

Lección 16

En el supermercado

Escucha y repite.

el mercado / el chorizo / el pescado / el pollo / el pimiento / el aguacate / el tomate / no maduro / maduro / el guisante / el ajo / la cebolla / la lata / el arroz / la lechuga /

Escucha.

JAIME: ¡Vamos a hacer una paella fantástica! Ya compré el arroz, que es el ingrediente más importante de la paella. ¿Qué más nos hace falta?

SILVIA: Vamos a ver. Aquí tengo la lista. Necesitamos ajo fresco, un pollo y una libra de pescado.

JAIME: También vamos a necesitar unas cebollas.

SILVIA: Mira, aquí están los tomates para la ensalada. Hay que escoger los mejores, no muy maduros.

JAIME: ¿Qué tomates te parecen buenos?

SILVIA: Pues, aquellos tomates son los peores de todos, y esos tomates son mejores que estos tomates pero no están buenos todavía.

JAIME: Aquí están los aguacates. ¿Te importa cuál escojo?

SILVIA: No. Me parece que todos están buenos.

JAIME: ¿Debemos llevar lechuga o hacemos la ensalada sin lechuga?

SILVIA: No, ya la tengo. Ahora nos hacen falta las comidas en lata: los pimientos y los guisantes. ¡Ay, caramba! ¿Sabes qué olvidamos añadir a la lista? ¡El chorizo!

JAIME: Vamos al mercado a buscarlo y, luego, a prepararlo.

Repite.

JAIME: ¡Vamos a hacer / una paella / fantástica! / Ya compré el arroz, / que es el ingrediente / más importante / de la paella. / ¿Qué más nos hace falta? /

SILVIA: Vamos a ver. / Aquí tengo la lista. / Necesitamos / ajo fresco, / un pollo / y una libra / de pescado. /

JAIME: También / vamos a necesitar / unas cebollas. /

SILVIA: Mira, / aquí están los tomates / para la ensalada. / Hay que escoger / los mejores, / no muy maduros. /

JAIME: ¿Qué tomates / te parecen buenos? /

SILVIA: Pues, aquellos tomates / son los peores de todos, / y esos tomates / son mejores / que estos tomates / pero no están buenos / todavía. /

JAIME: Aquí están / los aguacates. / ¿Te importa cuál escojo? /

SILVIA: No. / Me parece que todos / están buenos. /

JAIME: ¿Debemos llevar lechuga / o hacemos / la ensalada / sin lechuga? /

SILVIA: No, ya la tengo. / Ahora nos hacen falta / las comidas en lata: / los pimientos / y los guisantes. / ¡Ay, caramba! / ¿Sabes qué olvidamos / añadir a la lista? / ¡El chorizo! /

JAIME: Vamos al mercado / a buscarlo / y, luego, a prepararlo. /

1. **¿Qué comprendiste? Contesta las siguientes preguntas.**

   1. ¿Qué están haciendo Silvia y Jaime?
      Están comprando los ingredientes para la paella.
   2. ¿Es el aguacate el ingrediente más importante de la paella? Explica.
      No, el arroz es el ingrediente más importante de la paella.
   3. ¿Qué les hace falta para hacer la paella?
      Les hace falta ajo fresco, un pollo, pescado y unas cebollas.
   4. ¿Cuánto pescado compran?
      Compran una libra de pescado.
   5. ¿Cómo le gustan a Silvia los tomates?
      Le gustan no muy maduros.
   6. ¿Qué piensan comprar para la ensalada?
      Piensan comprar tomates, aguacates y lechuga.
   7. ¿Llevan lechuga los chicos?
      No, no llevan lechuga.
   8. ¿Compran pimientos y guisantes frescos?
      No, los compran en lata.
   9. ¿Qué olvidaron añadir a la lista?
      Olvidaron añadir el chorizo.

2. **Charlando. Contesta las siguientes preguntas. Las respuestas no están incluidas.**

   1. ¿Sabes cocinar? ¿Cuándo cocinaste por última vez?
   2. ¿Cuándo vas al mercado?
   3. Si vas, ¿es porque quieres ayudar o porque tienes que ir?
   4. ¿Qué compras? ¿Llevas las cosas que tú necesitas o llevas cosas para tu familia?
   5. ¿Prefieres escoger comidas frescas o en latas? ¿Por qué?
   6. ¿Sabes cómo hacer una paella?

4. *¿Qué opinan? Di lo que le gusta, le hace falta, le parece o le importa a cada una de las siguientes personas, según el modelo.*

>   **Modelo:**   a mí/ parecer bien / ir / el mercado
>   A mí me parece bien ir al mercado.

1. a Silvia / no importar / ir / el supermercado   A Silvia no le importa ir al supermercado.
2. a Uds. / hacer falta / la comida en lata   A Uds. les hace falta la comida en lata.
3. a Jaime / gustar más / ir / el mercado   A Jaime le gusta más ir al mercado.
4. a la señora Sánchez / gustar / cocinar / para su familia   A la señora Sánchez le gusta cocinar para su familia.
5. a Diego y a Jorge / importar / comprar / los mejores aguacates   A Diego y a Jorge les importa comprar los mejores aguacates.
6. a Tomás / hacer falta / comprar / los tomates y el maíz   A Tomás le hace falta comprar los tomates y el maíz.
7. a los dos chicos / hacer falta / llevar el queso, las habichuelas y el café   A los dos chicos les hace falta llevar el queso, las habichuelas y el café.
8. a mí / importar / el precio   A mí me importa el precio.

5. *¿Cómo se comparan?* Imagine you are shopping for food items. Compare the following items, following the model and the cues given.

>   **Modelo:**   esta lechuga / estar más fresco / esa lechuga
>   Esta lechuga está más fresca que esa lechuga.

1. los guisantes / ser más pequeño / las cebollas   Los guisantes son más pequeños que las cebollas.
2. este pescado / ser más grande / ese pescado   Este pescado es más grande que ese pescado.
3. estos tomates / estar menos maduro / aquellos tomates   Estos tomates están menos maduros que aquellos tomates.
4. este aguacate / estar más maduro / ese aguacate   Este aguacate está más maduro que ese aguacate.
5. las comidas frescas / ser mejor / las comidas en lata   Las comidas frescas son mejores que las comidas en lata.
6. el mercado / estar más lejos / el supermercado   El mercado está más lejos que el supermercado.
7. el ajo en lata / ser peor / el ajo fresco   El ajo en lata es peor que el ajo fresco.
8. esta papa / ser más grande / la otra   Esta papa es más grande que la otra.

7. *El más.... Contesta las siguientes preguntas. Las respuestas no están incluidas.*

1. ¿Cuál es el supermercado más nuevo de la ciudad donde vives?
2. ¿Cuál es el supermercado más viejo de la ciudad donde vives?
3. ¿Cuál es el mejor restaurante de la ciudad donde vives?
4. ¿Cuál es el peor restaurante de la ciudad donde vives?

8. *El mejor restaurante.* Imagine you are the owner of a restaurant. What instructions might you give your employees during the week, according to the following cues?

   Modelo: llegar al restaurante / temprano
              Debes llegar al restaurante lo más temprano posible.

   1. sacar la basura / tarde   Debes sacar la basura lo más tarde posible.
   2. recoger las mesas / rápidamente   Debes recoger las mesas lo más rápidamente posible.
   3. leer la receta / bien   Debes leer la receta lo mejor posible.
   4. preparar una paella valenciana / pronto   Debes preparar una paella valenciana lo más pronto posible.
   5. barrer el suelo / bien   Debes barrer el suelo lo mejor posible.

En el mercado

Escucha y repite.

el aceite / el vinagre / el chocolate / el maíz / el café / la papa / el arroz / la zanahoria / la uva / el plátano / la naranja / la habichuela / la lechuga / la fresa / el guisante / el pimiento / la manzana / la leche / los huevos / el queso / la mantequilla / el helado / el pollo / el jamón / la carne / el pescado /

10. *Charlando. Contesta las siguientes preguntas. Las respuestas no están incluidas.*

    1. ¿Llevas frutas y verduras cuando vas al mercado?
    2. ¿Cuál es tu verdura preferida?
    3. ¿Comes muchas frutas? ¿Cuáles prefieres? ¿Por qué?
    4. ¿Qué verduras prefieres en una ensalada?
    5. Para el Día de Acción de Gracias, ¿comes pollo, carne, pescado, jamón u otra comida?
    6. ¿Qué helados te gustan?

Buscando el mejor precio

Escucha.

SILVIA: Señora, ¿cuánto pide por esos huevos?
SEÑORA: Ciento noventa y cinco pesetas.
SILVIA: ¡Uy! Yo hablé con aquel señor y él los tiene por ciento cincuenta. Le doy ciento cuarenta y me los llevo.
SEÑORA: Señorita, le di el mejor precio. No puedo.
SILVIA: Entonces, no los llevo, gracias.
SEÑORA: Bueno, está bien. Puede llevarlos por ciento cuarenta.

Repite.

SILVIA: Señora, / ¿cuánto pide / por esos huevos? /
SEÑORA: Ciento noventa y cinco / pesetas. /
SILVIA: ¡Uy! / Yo hablé con aquel señor / y él los tiene / por ciento cincuenta. / Le doy ciento cuarenta / y me los llevo. /

SEÑORA: Señorita, / le di el mejor precio. / No puedo. /
SILVIA: Entonces, no los llevo, / gracias. /
SEÑORA: Bueno, está bien. / Puede llevarlos / por ciento cuarenta. /

17. *¿Qué comprendiste? Contesta las siguientes preguntas.*

   1. ¿Cuánto pide la señora por los huevos?   Pide ciento noventa y cinco pesetas.
   2. ¿Por qué precio los tiene el señor?   El señor los tiene por ciento cincuenta.
   3. ¿Cuánto dice Silvia que le da por los huevos?   Dice que le da ciento cuarenta.
   4. ¿Los da la señora por ciento cincuenta?   No, los da por ciento cuarenta.

18. *Charlando. Contesta las siguientes preguntas. Las respuestas no están incluidas.*

   1. ¿Por qué crees que a la gente de otros países le gusta regatear?
   2. ¿Te gusta la idea de regatear? Explica.
   3. ¿Puedes regatear en las tiendas de la ciudad donde vives? Explica.
   4. ¿Buscas siempre el mejor precio cuando compras algo? ¿El precio te importa?

20. *La fiesta fue ayer. A Ana le gusta escribir en su diario. ¿Qué cosas puede ella escribir después de la fiesta del club de ecología? Usa el pretérito como en el modelo.*

> **Modelo:**   nosotros / no olvidar nada
> Nosotros no olvidamos nada.

   1. yo / empezar a preparar todo muy temprano   Yo empecé a preparar todo muy temprano.
   2. nosotros / comprar verduras frescas   Nosotros compramos verduras frescas.
   3. yo / buscar los ingredientes de la receta   Yo busqué los ingredientes de la receta.
   4. Javier / preparar la paella   Javier preparó la paella.
   5. Paula / ayudar a Javier a preparar la paella   Paula ayudó a Javier a preparar la paella.
   6. yo / trabajar con Jaime todo el día   Yo trabajé con Jaime todo el día.
   7. las muchachas / limpiar la casa   Las muchachas limpiaron la casa.
   8. Jaime / buscar los tomates buenos   Jaime buscó los tomates buenos.

22. *¿Cuándo estuvieron? Di cuándo estuvieron las siguientes personas en el supermercado.*

> **Modelo:**   Alfonso / el lunes pasado
> Alfonso estuvo el lunes pasado.

   1. Alejandro y Mario / el jueves   Alejandro y Mario estuvieron el jueves.
   2. Jaime y Ana / anteayer   Jaime y Ana estuvieron anteayer.
   3. Ud. / el sábado   Ud. estuvo el sábado.
   4. las señoritas Peralta / esta mañana   Las señoritas Peralta estuvieron esta mañana.
   5. mi madre / la semana pasada   Mi madre estuvo la semana pasada.
   6. tú / el fin de semana pasado   Tú estuviste el fin de semana pasado.
   7. yo / ayer   Yo estuve ayer.
   8. Uds. / el miércoles   Uds. estuvieron el miércoles.

Este es el fin de la Lección 16.

A LEER

Escucha.

Las tapas: una tradición española

A los españoles les gusta mucho pasar tiempo con sus amigos. Una vieja tradición española es la de reunirse con los amigos en un café o un restaurante para hablar y comer tapas (o aperitivos) antes de ir a casa para comer o cenar con la familia. Hay una razón muy práctica para comer tapas en España, ésta es que los españoles comen muy tarde (a las 2:00 o a las 3:00 de la tarde) y también cenan muy tarde (a las 9:00 o a las 10:00 de la noche).

Comer tapas es un pasatiempo divertido y social que no cuesta mucho dinero. Los precios son razonables porque los clientes pueden comprar una ración o media ración de las tapas que quieren comer.

Las tapas pueden ser fáciles de preparar. Pueden consistir en nada más que pan con jamón. Otras tapas son más complicadas y necesitan más preparación, como la tortilla española. Hoy día hay restaurantes en los Estados Unidos que sirven tapas.

Aquí está el menú del Restaurante Andalucía que te ofrece una buena variedad de tapas. ¿Cuál de estas tapas te gustaría comer?

A. *¿Qué comprendiste? Contesta las siguientes preguntas.*

1.	¿Qué son las tapas?	Las tapas son aperitivos.
2.	¿Cuál es la tradición de comer tapas en España?	La tradición es reunirse con unos amigos en un café o un restaurante para visitar, charlar y comer tapas antes de ir a casa.
3.	¿Por qué es muy práctica esta tradición?	Es práctica porque los españoles comen el almuerzo y la cena muy tarde.
4.	¿Por qué no cuesta mucho dinero comer tapas?	No cuesta mucho dinero porque los clientes pueden comprar una ración o media ración de cada tapa.

B. *Charlando. Contesta las siguientes preguntas. Las respuestas no están incluidas.*

1. ¿Te gustan los aperitivos? ¿Los comes mucho? ¿Dónde? ¿Cuándo?
2. ¿Cuáles son las tapas del Restaurante Andalucía que te gustaría comer?
3. ¿Cuáles son las tapas del restaurante que no te gustaría comer?

Este es el fin de la sección A leer del Capítulo 8.

CAPÍTULO 9
En la tienda

LECCIÓN 17

La ropa

Escucha y repite.

Ropa para hombres / la camisa de algodón / la corbata / el traje / el pantalón / el calcetín / la ropa interior / el zapato /

Ropa para mujeres / el zapato de tacón / el zapato bajo / el vestido / la blusa de seda / la falda / la bota / las pantimedias / la ropa interior /

Para todos / el guante / el anillo / el traje de baño / el abrigo de lana / el sombrero / el suéter / la chaqueta / el impermeable /

1. *¿Qué comprendiste? Describe la ropa usando los colores.*

   1. la blusa / rosado   La blusa es rosada.
   2. los zapatos / negro   Los zapatos son negros.
   3. los calcetines / gris   Los calcetines son grises.
   4. la camisa / blanco   La camisa es blanca.
   5. la corbata / anaranjado   La corbata es anaranjada.
   6. la falda / café   La falda es café.
   7. los pantalones / azul   Los pantalones son azules.

2. *Charlando. Contesta las siguientes preguntas. Las respuestas no están incluidas.*

   1. ¿Tienes un color favorito para la ropa?
   2. ¿Es de seda o de algodón tu camisa o blusa?
   3. ¿Cuándo van tus amigas al colegio con zapatos de tacón?
   4. ¿Quién va al colegio con corbata?
   5. Describe la ropa de un chico o de una chica de tu colegio.

Julia compró ropa

Escucha.

Panamá, 15 de abril

Querida Elena,

Como te prometí, te escribo para contarte lo que compré en el centro comercial para mis vacaciones en la isla Contadora en Panamá. Primero, estuve en la Vía España donde no compré nada. (¡Todo lo que venden cuesta mucho!) Después, estuve por las tiendas del centro comercial, la Plaza Paitilla. Estuve allí por dos horas y media y compré tantas cosas que casi no me quedó dinero. Compré un vestido azul de algodón para llevar por la noche y, para tener algo cómodo, compré un pantalón rosado. Como sabes, el rosado es mi color favorito porque me queda bien. Luego, compré dos blusas de seda para combinar con el pantalón y un traje de baño. Pronto vas a verlo todo. ¿Qué compraste tú?

Debes escribirme pronto, antes de mi viaje a Contadora. Adiós.

Tu prima que te quiere,

Julia

9. *¿Qué comprendiste? Contesta las siguientes preguntas.*

1.	¿Adónde va Julia durante sus vacaciones?	Va a la isla Contadora, en Panamá.
2.	¿Qué ropa venden en la Vía España?	En la Vía España venden ropa que cuesta mucho dinero.
3.	¿Dónde compró muchas cosas?	Compró muchas cosas en las tiendas del centro comercial Plaza Paitilla.
4.	¿Cómo es el vestido que compró?	Es azul y de algodón.
5.	¿Qué más compró?	Compró un pantalón, dos blusas de seda para combinar y un traje de baño.
6.	¿Cuál es el color favorito de Julia? ¿Por qué?	Es el rosado, porque le queda bien.

10. *Charlando. Contesta las siguientes preguntas. Las respuestas no están incluidas.*

1. ¿Hablas de ropa con tus amigos o amigas? ¿Con tu familia? ¿De qué hablan?
2. ¿Qué ropa compras antes de ir de vacaciones?
3. ¿Te importa si la ropa cuesta mucho dinero?
4. ¿Qué colores te quedan bien?
5. ¿Qué ropa llevas cuando hace calor? ¿Cuando hace frío?

16. *Trabajando en el centro comercial.* Imagine you work in a clothing store at the mall and your boss has just returned from vacation. What questions might you have to answer? Follow the model. There will be no response given by the speaker.

   Modelos: ¿Pediste más guantes de lana?
   Sí, los pedí.

   ¿Pediste más guantes de lana?
   No, no los pedí.

1. ¿Recogiste las camisas?
2. ¿Escogiste las corbatas para los clientes?
3. ¿Vendiste los nuevos suéteres cafés?
4. ¿Aprendiste a arreglar los pantalones?
5. ¿Barriste siempre la tienda por la mañana?
6. ¿Añadiste los sombreros nuevos a la ventana?

19. *Fueron a comprar.... Imagina que tus amigos y tú fueron de compras al centro comercial el sábado pasado. Di lo que las siguientes personas fueron a comprar. Sigue el modelo.*

Modelo: Felipe / un pantalón café
            Felipe fue a comprar un pantalón café.

1. Isabel / una falda anaranjada   Isabel fue a comprar una falda anaranjada.
2. Cristina y Laura / unos zapatos rojos Cristina y Laura fueron a comprar unos
                                           zapatos rojos.
3. tú / un traje de baño verde   Tú fuiste a comprar un traje de baño verde.
4. nosotros / una camisa amarilla   Nosotros fuimos a comprar una camisa
                                           amarilla.
5. yo / un impermeable azul   Yo fui a comprar un impermeable azul.

Este es el fin de la Lección 17.

LECCIÓN 18

Un regalo para Carmencita

Escucha.

DIEGO: ¿Le gustaría a Carmencita el suéter rojo que vimos ayer?
PEDRO: Ese suéter es demasiado corto.
DIEGO: ¿Y este suéter blanco?
PEDRO: Pues, no. Me parece bastante largo.
DIEGO: ¡Qué lindo es aquel paraguas! Es perfecto para ella.
PEDRO: Ella me dijo que le gustaría recibir algo personal.
DIEGO: Sí, claro, un anillo o aquel collarcito de perlas.
PEDRO: ¡Qué cómico! Bueno, vamos al departamento donde venden regalos. ¿Quieres usar la escalera automática?
DIEGO: No, podemos ir más rápidamente en el ascensor. Allí está.

Repite.

DIEGO: ¿Le gustaría / a Carmencita / el suéter rojo / que vimos ayer? /
PEDRO: Ese suéter / es demasiado corto. /
DIEGO: ¿Y este suéter blanco? /
PEDRO: Pues, no. / Me parece / bastante largo. /
DIEGO: ¡Qué lindo / es aquel paraguas! / Es perfecto para ella. /
PEDRO: Ella me dijo / que le gustaría / recibir algo personal. /
DIEGO: Sí, claro, un anillo / o aquel collarcito / de perlas. /
PEDRO: ¡Qué cómico! / Bueno, vamos / al departamento / donde venden regalos. / ¿Quieres usar / la escalera / automática? /
DIEGO: No, podemos ir / más rápidamente / en el ascensor. / Allí está. /

1. *¿Qué comprendiste? Contesta las siguientes preguntas.*

   1. ¿Qué están buscando los dos chicos?   Están buscando un regalo para Carmencita.
   2. ¿Cómo es el suéter rojo? ¿Y el blanco?   Es demasiado corto. Es bastante largo.
   3. Según Diego, ¿qué regalo es perfecto   Diego piensa que un paraguas es perfecto
      para Carmencita?   para ella.
   4. ¿Qué dijo Carmencita que le   Carmencita dijo que le gustaría recibir
      gustaría recibir?   algo personal.
   5. ¿Qué dice Diego que Pedro puede   Dice que puede comprarle un anillo o
      comprarle a ella?   aquel collarcito de perlas.
   6. ¿A qué departamento quiere ir Pedro?   Pedro quiere ir al departamento de regalos.
   7. ¿Quiere Pedro tomar el ascensor?   No, quiere tomar la escalera automática.
   8. ¿Qué prefiere usar Diego?   Diego prefiere usar el ascensor.

2. *Charlando. Contesta las siguientes preguntas. Las respuestas no están incluidas.*

   1. ¿Es fácil o difícil para ti escoger un regalo para alguien?
   2. Cuando compras un regalo, ¿vas con alguien a escogerlo? ¿Con quién vas?
   3. ¿Te importa qué le parece el regalo a otra persona?
   4. ¿Qué tipo de regalo prefieres recibir? ¿Algo personal?
   5. En el centro comercial, ¿cómo vas de un piso a otro?

3. *Cruzando fronteras. Contesta las siguientes preguntas sobre Ecuador.*

   1. ¿Qué divide el mundo en norte y sur?   El ecuador divide el mundo en
                                                                                norte y sur.
   2. ¿Cuál es la capital del Ecuador?   La capital del Ecuador es Quito.
   3. ¿En qué océano están las Islas Galápagos?   Están en el Océano Pacífico.
   4. ¿Qué hay en las Galápagos ahora?   Hay un parque nacional con plantas
                                                                                y animales.
   5. ¿Por qué son especiales los animales de las   Porque hay animales que no hay en
      Islas Galápagos?   otras partes del mundo.
   6. ¿De qué imperio famoso formó parte   El Ecuador formó parte del imperio inca.
      el Ecuador?
   7. ¿En qué año declaró el Ecuador   Declaró su independencia en 1809.
      su independencia?

4. *¿Qué hiciste ayer? Di seis cosas que hiciste ayer, según las actividades indicadas.*

   Modelo: ver una película
                 Vi una película ayer.

   1. hacer una pregunta en español   Hice una pregunta en español.
   2. leer el periódico   Leí el periódico.
   3. oír un disco compacto nuevo   Oí un disco compacto nuevo.
   4. tener que ir al dentista   Tuve que ir al dentista.
   5. decir la verdad todo el día   Dije la verdad todo el día.
   6. comprar un regalo perfecto para mi abuela   Compré un regalo perfecto para mi abuela.

6. *¿Qué dijiste? Imagina que no oíste un comentario. Por ejemplo, ¿qué debes decir si estás oyendo varias conversaciones pero no puedes oír muy bien? Sigue el modelo.*

        Modelo: ¿Qué dijo tu amiga?
                          No la oí.

1. ¿Qué dijeron los muchachos?   No los oí.
2. ¿Qué dijo ese señor?   No lo oí.
3. ¿Qué dijeron ellas?   No las oí.
4. ¿Qué dijiste tú?   No te oí.
5. ¿Qué dijo la mesera?   No la oí.

8. *Un domingo por la tarde. ¿Qué hicieron algunas personas el domingo por la tarde?*

        Modelo: jugar al básquetbol
                          Algunas personas jugaron al básquetbol

1. ver televisión   Algunas personas vieron televisión.
2. leer el periódico   Algunas personas leyeron el periódico.
3. recibir regalos   Algunas personas recibieron regalos.
4. oír la radio   Algunas personas oyeron la radio.
5. limpiar la casa   Algunas personas limpiaron la casa.
6. bailar   Algunas personas bailaron.

En el departamento de regalos

Escucha y repite.

el bolso de material sintético / el perfume / la billetera / el cinturón de cuero / el pañuelo / la bufanda / el guante / el pijama / la pulsera de oro / el arete de plata / el collar de perlas /

9. *¿Qué comprendiste? Contesta las siguientes preguntas.*

1. ¿De qué materiales puede ser un bolso? ¿Un abrigo?   Un bolso puede ser de material sintético o de cuero. Un abrigo puede ser de lana.
2. ¿Para qué es una billetera?   Una billetera es para poner o llevar el dinero.
3. ¿Cuándo llevas bufanda y guantes?   Llevo bufanda y guantes cuando hace frío.
4. ¿De qué puede ser un vestido?   Los vestidos pueden ser de algodón, de lana, de material sintético o de seda.
5. ¿Qué puede ser de oro?   Pueden ser de oro un reloj, unos aretes, una pulsera, un collar o un anillo.
6. ¿Qué puede ser de perlas?   Pueden ser de perlas un collar, una pulsera o unos aretes.
7. ¿De qué puede ser un anillo?   Un anillo puede ser de oro o de plata.
8. ¿Qué puede ser de seda?   Pueden ser de seda una blusa, un pañuelo, un pijama, un vestido o la ropa interior.

10. *Charlando. Contesta las siguientes preguntas. Las respuestas no están incluidas.*

1. ¿Qué regalos te gusta comprar para tus amigos? ¿Y para tus amigas?
2. ¿Te gusta usar perfume o prefieres regalarlo a alguien?
3. ¿Es tu cinturón de material sintético?
4. ¿Llevas guantes al colegio? ¿Cuándo?
5. ¿Quién lleva aretes? ¿Cómo son?
6. ¿Tienes algo de oro, de plata o de perlas? ¿Qué es?
7. ¿Es tu paraguas un regalo, o lo compraste tú?

11. *¿Qué les gustaría recibir? Haz oraciones completas diciéndole a alguien qué dijeron las siguientes personas que les gustaría recibir para su cumpleaños.*

Modelo: Rosita / un collar de perlas
Rosita dijo que le gustaría recibir un collar de perlas.

1. Uds. / billeteras de cuero   Uds. dijeron que les gustaría recibir billeteras de cuero.
2. tú / una pulsera de oro   Tú dijiste que te gustaría recibir una pulsera de oro.
3. mis hermanitas / perfume   Mis hermanitas dijeron que les gustaría recibir perfume.
4. mis tíos / pañuelos   Mis tíos dijeron que les gustaría recibir pañuelos.
5. mis abuelas / unas bufandas   Mis abuelas dijeron que les gustaría recibir unas bufandas.
6. nosotras / aretes de plata   Nosotras dijimos que nos gustaría recibir aretes de plata.
7. yo / un cinturón de cuero   Yo dije que me gustaría recibir un cinturón de cuero.
8. mi abuelo / un pijama   Mi abuelo dijo que le gustaría recibir un pijama.
9. mi mamá / un bolso   Mi mamá dijo que le gustaría recibir un bolso.

¿En efectivo o a crédito?

Escucha.

Antonio y Dolores están en el centro comercial Unicentro, en Guayaquil, Ecuador. Dolores está ayudando a Antonio a escoger un lindo regalo.

DOLORES: Está bastante barato.
ANTONIO: De acuerdo. No está caro, porque está en oferta especial.
DOLORES: Vas a ahorrar dinero porque puedes comprar dos por el precio de uno.
ANTONIO: ¿Te parece que el tamaño está bien? ¿Es buena la calidad? ¿Piensas que puede ser más barato en otra tienda?
DOLORES: Ay, Antonio, ¡es difícil ir de compras contigo! Vamos a la caja a pagar. ¿Vas a pagar en efectivo?
ANTONIO: No, voy a pagar a crédito porque no tengo bastante dinero aquí.

Repite.

DOLORES: Está bastante barato. /
ANTONIO: De acuerdo. / No está caro, / porque está / en oferta especial. /
DOLORES: Vas a ahorrar dinero / porque puedes comprar dos / por el precio de uno. /
ANTONIO: ¿Te parece / que el tamaño está bien? / ¿Es buena la calidad? / ¿Piensas que puede ser / más barato / en otra tienda? /

DOLORES: Ay, Antonio, / ¡es difícil ir de compras / contigo! / Vamos a la caja / a pagar. / ¿Vas a pagar / en efectivo? /

ANTONIO: No, voy a pagar / a crédito / porque no tengo / bastante dinero aquí. /

13. *¿Qué comprendiste? Contesta las siguientes preguntas.*

1. ¿Dónde está el centro comercial Unicentro? Está en Guayaquil, Ecuador.
2. ¿Le parece a Antonio que la calidad del regalo es buena? No sabe. Él le pregunta a Dolores.
3. ¿Dónde pagan el regalo? Pagan en la caja.
4. ¿Cómo pueden pagar? Pueden pagar en efectivo y a crédito.
5. ¿Por qué va a pagar a crédito Antonio? Él no tiene bastante dinero.

14. *Charlando. Contesta las siguientes preguntas. Las respuestas no están incluidas.*

1. ¿Necesitas mucho tiempo para comprar algo?
2. ¿Sabes cuándo algo está en oferta especial? ¿Cómo lo sabes?
3. ¿En qué mes del año es más barata la ropa de verano?
4. ¿Qué es más importante para ti, la buena calidad o el buen precio?
5. ¿Cómo te gusta pagar?

18. *¡Te invito! Haz oraciones completas para dar excusas diferentes para cada invitación. Las respuestas no están incluidas.*

Modelo: ¿Puedes venir conmigo al centro comercial?
No, no puedo ir contigo porque no tengo tiempo.

1. ¿Puedes venir conmigo a la tienda de música?
2. ¿Puedes venir conmigo al departamento de regalos?
3. ¿Puedes venir conmigo al cine?
4. ¿Puedes venir conmigo a la cafetería?
5. ¿Puedes venir conmigo a comprar un lindo paraguas?

ALGO MÁS

Para hablar de dinero

Escucha y repite.

¿Cuánto cuesta? / ¿Cuánto cuestan? / Es demasiado caro. / Está en oferta especial. / El precio es muy alto. / Por ese dinero, la calidad no es mala. / Quiero ahorrar dinero. / Tengo bastante dinero. / Quiero pagar en efectivo. / Quiero comprarlo a crédito. / No tengo tarjeta de crédito. / Quiero usar mi tarjeta. / Quiero usar mi tarjeta de crédito. /

Este es el fin de la Lección 18.

A LEER

B. *Charlando. Contesta las siguientes preguntas. Las respuestas no están incluidas.*

   1. ¿Qué piensas de las encuestas?
   2. ¿Preparaste alguna encuesta este año?
   3. ¿Adónde vas de compras con más frecuencia?
   4. ¿Cuáles son algunos de los regalos que prefieres dar a tus amigos o amigas?
   5. ¿Qué centro comercial tiene encuestas donde vives?
   6. ¿Dices la verdad cuando contestas una encuesta?

Este es el fin de la sección A leer del Capítulo 9

CAPÍTULO 10
De vacaciones

LECCIÓN 19

¿Qué hiciste el fin de semana pasado?

Escucha.

JULIO:	¿Qué hiciste el fin de semana pasado, Ana?
ANA:	¡Ay, hombre! Trabajé en mi proyecto de historia. Tengo que presentarlo en dos días y todavía tengo mucho que hacer.
JULIO:	Ah, ¿sí? ¿Cuál es el tema?
ANA:	Bueno, sabes que me gustaría ser arqueóloga, ¿no? Entonces, mi proyecto es sobre el imperio inca y las culturas indígenas del Perú. Y tú, ¿qué hiciste el fin de semana pasado?
JULIO:	Pues, el sábado, fui de compras. Compré unas cosas para las vacaciones con mi familia. Vamos a las playas de Cancún.
ANA:	¡Chévere, hombre! Y, ¿vas a visitar las ruinas de los mayas cerca de Cancún?
JULIO:	No es mala idea si tenemos tiempo. Pero, durante mis vacaciones sólo quiero dormir hasta muy tarde, ir a la playa y bailar en los clubes por la noche. Pero, antes de mi viaje, ¿te gustaría hacer algo juntos?
ANA:	Bueno, ¿qué te parece si vamos al cine este sábado?

Repite.

JULIO:	¿Qué hiciste / el fin de semana / pasado, / Ana? /
ANA:	¡Ay, hombre! / Trabajé en mi proyecto / de historia. / Tengo que presentarlo / en dos días / y todavía / tengo mucho que hacer. /
JULIO:	Ah, ¿sí? / ¿Cuál es el tema? /
ANA:	Bueno, sabes que / me gustaría ser / arqueóloga, ¿no? / Entonces, / mi proyecto es sobre / el imperio inca / y las culturas / indígenas del Perú. / Y tú, ¿qué hiciste / el fin de semana / pasado? /

JULIO: Pues, el sábado, / fui de compras. / Compré unas cosas / para las vacaciones / con mi familia. / Vamos a las playas / de Cancún. /

ANA: ¡Chévere, hombre! / Y, ¿vas a visitar / las ruinas de los mayas / cerca de Cancún? /

JULIO: No es mala idea / si tenemos tiempo. / Pero, / durante mis vacaciones / sólo quiero dormir / hasta muy tarde, / ir a la playa / y bailar en los clubes / por la noche. / Pero, / antes de mi viaje, / ¿te gustaría hacer / algo juntos? /

ANA: Bueno, ¿qué te parece / si vamos al cine / este sábado? /

1. *¿Qué comprendiste? Contesta las siguientes preguntas.*

1. ¿Qué hizo Ana el fin de semana pasado? — Trabajó en su proyecto de historia.
2. ¿Cuándo tiene que presentar su proyecto de historia? — Tiene que presentarlo en dos días.
3. ¿Cuál es el tema de su proyecto? — Es sobre el imperio inca y las culturas indígenas del Perú.
4. ¿Adónde fue Julio el sábado? — Fue de compras.
5. ¿Adónde van Julio y su familia de vacaciones? — Van a las playas de Cancún.
6. ¿Qué le gustaría a Julio hacer en sus vacaciones? — Quiere dormir hasta muy tarde, ir a la playa y bailar en los clubes por la noche.

2. *Charlando. Contesta las siguientes preguntas. Las respuestas no están incluidas.*

1. ¿Qué hiciste el fin de semana pasado?
2. ¿Tienes que hacer proyectos? ¿En qué clases haces proyectos?
3. ¿Cuánto tiempo estudias los fines de semana?
4. Cuando haces planes para el fin de semana, ¿piensas primero en si tienes algo que estudiar? Explica.
5. ¿Adónde te gustaría ir de vacaciones?

3. *¿Qué hiciste el fin de semana pasado? Pregúntale a tu amigo si participó en las siguientes actividades el fin de semana pasado.*

Modelo: hablar con tus amigos por teléfono
¿Hablaste con tus amigos por teléfono el fin de semana pasado?

1. estudiar para un examen — ¿Estudiaste para un examen?
2. comer en un restaurante elegante — ¿Comiste en un restaurante elegante?
3. ir al cine con tus amigos — ¿Fuiste al cine con tus amigos?
4. ver televisión — ¿Viste televisión?
5. limpiar tu cuarto — ¿Limpiaste tu cuarto?
6. dormir hasta muy tarde — ¿Dormiste hasta muy tarde?
7. leer el periódico — ¿Leíste el periódico?
8. montar en bicicleta — ¿Montaste en bicicleta?
9. pasar tiempo con tu familia — ¿Pasaste tiempo con tu familia?
10. trabajar mucho — ¿Trabajaste mucho?

10. *Los moches y los incas. Contesta las siguientes preguntas.*

1. ¿Quiénes usaron originalmente el sistema inca de coleccionar   los moches
   y distribuir la comida?
2. ¿Cómo se llamó la capital del imperio inca en el siglo XII?   Cuzco
3. ¿Qué lengua hablaron todos los indígenas del imperio inca?   quechua
4. ¿En honor de qué construyeron los incas unos templos?   el sol y la luna

Este es el fin de la Lección 19.

LECCIÓN 20

El correo electrónico

Escucha.

ANA: Oye, Julio. ¿Sabes qué? Acabo de recibir unas cartas por correo electrónico de una chica de Guatemala. Ella es mi amiga por correspondencia.

JULIO: ¡Chévere, Ana! Y, ¿qué te dice? ¿Algo interesante de Guatemala?

ANA: Bueno, sí. Le escribí a ella de mi proyecto del imperio inca del Perú. Entonces, me escribió sobre todas las ruinas del imperio maya que están por muchas partes de México y Guatemala. Me gustaría mucho ver las ruinas de Tikal en Guatemala. Son increíbles, ¿no es verdad?

JULIO: ¡Claro, Ana! ¿Sabes algo? Ahora, a mí también me gustaría visitar unas ruinas mayas.

ANA: Bueno, hombre. No hay problema. Puedes visitar las ruinas de Chichén Itzá durante tu viaje a México. Las pirámides allí son fantásticas y no están muy lejos de Cancún.

JULIO: Muy buena idea, Ana. Y, especialmente para ti, vas a poder ver mis fotos de las ruinas mayas después del viaje. ¿Quién sabe? Quizás vas a ser una arqueóloga famosa algún día.

Repite.

ANA: Oye, Julio. / ¿Sabes qué? / Acabo de recibir / unas cartas por correo / electrónico / de una chica / de Guatemala. / Ella es mi amiga / por correspondencia. /

JULIO: ¡Chévere, Ana! / Y, ¿qué te dice? / ¿Algo interesante / de Guatemala? /

ANA: Bueno, sí. / Le escribí a ella / de mi proyecto / del imperio inca / del Perú. / Entonces, me escribió / sobre todas las ruinas / del imperio maya / que están por muchas partes / de México y Guatemala. / Me gustaría mucho / ver las ruinas de Tikal / en Guatemala. / Son increíbles, ¿no es verdad? /

JULIO: ¡Claro, Ana! / ¿Sabes algo? / Ahora, a mí también / me gustaría visitar / unas ruinas mayas. /

ANA: Bueno, hombre. / No hay problema. / Puedes visitar / las ruinas / de Chichén Itzá / durante tu viaje / a México. / Las pirámides allí / son fantásticas / y no están muy lejos / de Cancún. /

JULIO: Muy buena idea, Ana. / Y, especialmente / para ti, / vas a poder ver mis fotos / de las ruinas mayas / después del viaje. / ¿Quién sabe? / Quizás vas a ser / una arqueóloga / famosa / algún día. /

1. *¿Qué comprendiste? Contesta las siguientes preguntas.*

   1. ¿Qué acaba de recibir Ana?   Acaba de recibir unas cartas por correo electrónico de una chica de Guatemala.

   2. ¿Quién es la chica de Guatemala?   Ella es su amiga por correspondencia electrónica.

   3. ¿Cuál es el tema de las cartas de correo electrónico?   Escribe de las ruinas del imperio maya que están por muchas partes de México y Guatemala.

   4. ¿Dónde están las ruinas mayas de Tikal?   Están en Guatemala.
   5. ¿Qué le gustaría visitar a Julio?   Le gustaría visitar unas ruinas mayas.
   6. ¿Qué puede ver Ana después del viaje de Julio a Chichén Itzá?   Ella puede ver sus fotos de las ruinas de Chichén Itzá.

2. *Charlando. Contesta las siguientes preguntas. Las respuestas no están incluidas.*

   1. ¿Piensas hacer un viaje durante tus vacaciones? ¿Adónde te gustaría ir?
   2. ¿Te gustaría visitar unas ruinas indígenas? ¿Dónde?
   3. Cuando estás de vacaciones, ¿sacas muchas fotos? ¿De qué?

3. *Guatemala. Di si las siguientes oraciones sobre Guatemala son verdaderas o falsas.*

   1. La capital de Guatemala, la Ciudad de Guatemala, es muy moderna.   verdadera

   2. Guatemala es un centro de la civilización Atitlán.   falsa

   3. Los mayas estudiaron la astronomía, las matemáticas y la arquitectura.   verdadera

   4. La ciudad más famosa del imperio maya es Chichicastenango.   falsa

   5. Pedro de Alvarado fue el conquistador de la zona que hoy es Guatemala.   verdadera

   6. Antigua es una ciudad colonial.   verdadera

Este es el fin de la Lección 20.

A LEER

Escucha.

Los Pasofinos: caballos de los conquistadores

Cuando los españoles conquistaron el imperio inca del Perú, tomaron muchos de los recursos naturales del nuevo mundo, como el oro y la plata. También, los españoles introdujeron entre muchas cosas el español, el catolicismo y el caballo—un animal nuevo.

El Perú está aislado por el Océano Pacífico y por los Andes. Por esta razón, esos caballos originales continúan con un linaje muy puro. Y, hoy, son los famosos caballos Pasofinos del Perú. A los peruanos les gustan mucho los Pasofinos porque son bonitos, elegantes, inteligentes y muy mansos. Montar un Pasofino es muy fácil porque son los caballos más suaves de todo el mundo. Su forma de trotar es muy suave y se llama "el paso llano." Estos animales son magníficos.

Por todas estas razones, hoy en día los Pasofinos son muy populares en los EE.UU. En todo el mundo hay sólo 18.000 mil Pasofinos y más de 10.000 de ellos viven en norteamérica. En los EE.UU. hay clubes para los aficionados de los Pasofinos. Si quieres saber más sobre los Pasofinos y los clubes, puedes buscarlo en la Internet.

A. *¿Qué comprendiste? Contesta las siguientes preguntas.*

1.	¿Qué tomaron los españoles del nuevo mundo?	Tomaron muchos recursos naturales como el oro y la plata.
2.	¿Qué introdujeron los españoles al nuevo mundo?	Introdujeron el español, el catolicismo y el caballo.
3.	¿Cuáles son las características de los Pasofinos?	Ellos son bonitos, elegantes, inteligentes y muy mansos.
4.	¿Dónde hay muchos clubes para los aficionados	Hay muchos clubes en los EE.UU. de los Pasofinos?

B. *Charlando. Contesta las siguientes preguntas. Las respuestas no están incluidas.*

1. ¿Sabes montar a caballo?
2. ¿Hay Pasofinos cerca de donde tú vives?
3. ¿Te gustaría montar un Pasofino?
4. ¿Qué animales te gustan? ¿Por qué?

Este es el fin de la sección A leer del Capítulo 10.